LE
GUIDE
COMPLET
DES
PLANTES
D'INTÉRIEUR

Éditeurs: LES ÉDITIONS LA PRESSE, LTÉE
7, rue Saint-Jacques
Montréal H2Y 1K9
(514) 285-6981

Maquette de la couverture: JEAN PROVENCHER

Distributeur exclusif pour le Canada: LES MESSAGERIES INTERNATIONALES
DU LIVRE INC.
4550, rue Hochelaga, Montréal H1V 1C6, Qué.
(514) 256-7551

Dépôt légal: BIBLIOTHÈQUE NATIONALE DU QUÉBEC
4e trimestre 1973

ISBN 0-7777-0068-9

JOAN LEE FAUST

LE GUIDE COMPLET DES PLANTES D'INTÉRIEUR

Traduit de l'américain
par Marc Meloche

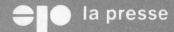 la presse

PHOTOGRAPHIES

Robert C. Baur 197
John Bickel 181
General Electric and Company 180
Gottscho-Schleisner 2, 11, 20, 47, 182, 185, 204, 209
John T. Hill 2
Riekes Crisa Corporation 198, 199
Roche 227
Ben Schnall, Designs for Business, Inc. 191
George Taloumis 8, 14, 17, 25, 41, 44, 47, 207,
211, 216, 222, 235
Nan Tucker 228
Mason Weymouth 190
Autres photographies: The New York Times

Illustrations en couleur: Allianora Rosse
Illustrations en noir et blanc: Harry Carter
Conception graphique du livre: Betty Binns

sommaire

appendice

introduction

Depuis toujours, les plantes contribuent à rehausser l'ambiance du foyer. De l'humble lierre en pot aux jardinières sophistiquées, la présence de la verdure confère au foyer chaleur et hospitalité.

Nos plantes d'intérieur proviennent de toutes les parties du monde. Elles sont recueillies par des botanistes, souvent qualifiés de « chasseurs de plantes ». Ceux-ci parcourent les continents à la recherche de spécimens rares ou magnifiques, pouvant s'adapter à la culture à l'intérieur.

Il importe toutefois de noter que l'environnement tel qu'il existe à l'intérieur d'une maison ou d'un appartement diffère sensiblement de celui d'où ces plantes proviennent. En d'autres mots, pour pouvoir croître avec succès à l'intérieur, les spécimens recueillis à l'état sauvage doivent d'abord être domestiqués.

Pour les plantes d'intérieur les plus populaires, les techniques de domestication sont solidement établies. D'autre part,

1

Un solarium, muni de larges fenêtres, donne un bon éclairage naturel, favorable à une belle collection de plantes à fleurs ou à feuillage.

Une serre, aménagée à même une fenêtre, procure un excellent éclairage et elle est facile à installer. L'hiver, de petits appareils de chauffage, placés parmi les plantes, complètent l'arrangement de la serre pour les climats froids.

les nouveaux spécimens, en particulier ceux des régions tropicales, présentent des difficultés. Toutefois, nos connaissances, déjà fort étendues, sur leur mode de culture s'enrichissent constamment de nouvelles découvertes. L'étude plus approfondie de leur habitat naturel augmente sensiblement les chances de succès lorsqu'on les cultive à l'intérieur.

La majorité des plantes d'intérieur proviennent originairement des régions tropicales d'Amérique du Sud ou d'Amérique centrale. La plupart croissent à une altitude où les fluctuations de température les rendent plus facilement adaptables à la vie à l'intérieur. Il convient donc de recréer, à l'intérieur, les caractéristiques de leur habitat naturel en leur fournissant beaucoup d'humidité, un sol riche en humus et un éclairage tamisé.

D'autre part, les cactus et autres plantes grasses, provenant des régions désertiques de l'Amérique du Nord, préfèrent un sol sablonneux, beaucoup de soleil et très peu d'eau.

Quelquefois, l'apparence même de la plante offre des indications importantes sur son mode de culture. Par exemple, les feuilles charnues de la crassula, originaire des régions semi-arides de l'Afrique du Sud, emmagasinent beaucoup d'eau durant les saisons sèches. Elles demandent donc beaucoup moins d'eau qu'une autre plante habituée à l'humidité des tropiques.

Par contre, les minces feuilles du coleus se dessèchent rapidement si l'humidité est insuffisante.

Bref, de simples observations aident grandement le débutant à développer son intuition quant aux soins à donner à ses plantes. Au fur et à mesure qu'il prend de l'assurance, il apprend à aimer les plantes et à goûter le plaisir de les cultiver.

Enfin, il ne faut pas perdre de vue que les soins prodigués aux plantes restent accessoires; leur croissance dépend avant tout d'elles-mêmes. Cette remarque devrait suffire à dissiper le mythe de « la main verte », selon lequel certaines personnes possèdent le don de faire croître n'importe quelle plante, alors que d'autres n'ont qu'à les regarder pour qu'elles meurent. En apprenant comment prendre soin correctement des plantes d'intérieur, tous peuvent y arriver.

soins à donner aux plantes de maison

Quatre éléments assurent la survie des plantes: la lumière, l'air, le sol et l'eau. La température et l'humidité de l'air ambiant ont aussi leur importance. La nature satisfait pleinement à ces conditions. L'intérieur de nos maisons, toutefois, diffère sensiblement de l'environnement naturel; c'est pourquoi il importe avant tout d'acquérir des notions de base concernant la croissance des plantes et de connaître les facteurs qui influencent leur croissance. A l'aide de ces connaissances, doublées d'un peu de bon sens, tous peuvent cultiver un nombre surprenant de plantes d'intérieur.

Dans ce livre, les soins de base à donner aux plantes sont exposés sous des titres clairs et bien définis. Les débutants auront intérêt à lire attentivement ce volume, tandis que les amateurs plus avancés pourront l'utiliser comme aide-mémoire.

Le choix de ses plantes doit être fait en fonction de leur apparence et des soins qu'elles nécessitent. Il vous faut éviter les plantes qui ne pourront s'adapter aux conditions d'humidité, de lumière et de température de votre maison ou celles qui ne présentent aucun intérêt particulier. Bien qu'une collection de plusieurs plantes d'une même variété puisse s'avérer très jolie, une collection composée de plusieurs variétés satisfait toujours plus l'amateur.

lumière

La croissance des plantes dépend largement de la quantité de lumière naturelle disponible. Le proche voisinage d'arbres ou d'édifices atténue la quantité de lumière entrant par les fenêtres. De même, l'orientation de celles-ci détermine la qualité de la lumière qu'elles laissent pénétrer.

Les rebords de fenêtres jouissent de la faveur populaire pour la culture des plantes. Malheureusement, cette pratique n'est pas toujours souhaitable; plusieurs plantes ne peuvent supporter les rayons directs du soleil qui risquent de brûler leurs feuilles. Seules les plantes nécessitant une lumière intense, tels les cyclamens, les gardénias, les géraniums, les plantes grasses et autres, cultivées principalement pour leurs fleurs, devraient être placées en plein soleil, en l'occurrence devant une fenêtre orientée au sud.

Les fenêtres, situées à l'est ou à l'ouest, recevant le soleil du matin ou de l'après-midi, conviennent bien aux violettes afri-

Les cactus des zones désertiques et les plantes grasses demandent beaucoup de soleil.

caines, aux violettes flamboyantes, aux *fatsia,* aux bromélies et à plusieurs orchidées. Les fenêtres situées au nord ne reçoivent pas de soleil: les plantes à feuillage, tel le philodendron, y vivent donc bien.

Les plantes d'ornement faisant partie de la décoration intérieure ne doivent pas nécessairement être placées devant une fenêtre. Toutefois, la quantité de lumière disponible doit demeurer le premier facteur à considérer dans le choix de vos plantes. Pour la plupart des plantes en forme d'arbres, tels les palmiers bambou, les figuiers, les *schefflera* et quelques fougères, une lumière abondante constitue le plus grand facteur de succès.

Les endroits où la lumière est faible mais claire, conviennent bien aux *dracaena,* aux *sensevieria,* aux *dieffenbachia,* aux *syngonium* et aux philodendrons. Toutefois, les plantes jouissant de moins de lumière doivent être arrosées et fertilisées moins fréquemment. Un minimum de soins réussit mieux à ces plantes, la lumière disponible ne leur permettant pas une pousse vigoureuse.

D'autre part, la culture des plantes dans une pièce sombre s'avère difficile et souvent décevante. Elle est toutefois possible, mais elle requiert un éclairage artificiel; cette technique est expliquée aux pages 171 à 178.

Enfin, pour compenser la tendance naturelle des plantes à se tourner vers la lumière, il convient de les tourner de temps à autre afin de permettre la croissance uniforme de tous les côtés.

De plus, certaines plantes réagissent au nombre d'heures de lumière disponibles chaque jour. Ce phénomène, appelé photopériodisme, doit être pris en considération, notamment pour la culture des poinsettias et des chrysanthèmes de serre. On les qualifie de plantes de « jour bref ». Leurs fleurs n'apparaissent que lorsque les journées sont brèves, soit de huit à dix heures de lumière environ. (Les fleuristes raccourcissent le nombre d'heures de lumière en recouvrant leurs plantes de tissu opaque.)

Par ailleurs, les plantes de « jour long » ne fleurissent que lorsque leur exposition à la lumière dure de douze à seize heures par jour.

Ainsi la meilleure façon de faire refleurir un poinsettia consiste à lui procurer un minimum d'heures de lumière par jour, du 1er octobre à la fin de novembre, en le plaçant dans une pièce complètement obscure entre 5 heures de l'après-midi et 8 heures du matin. Ces longues périodes de noirceur sont absolument essentielles et la moindre interruption peut retarder de beaucoup leur floraison. Il ne faut pas oublier cependant de replacer la plante près de la fenêtre durant le jour.

Les episcias et les plantes araignée, suspendues ici à un mur de brique, forment un coin de verdure et complètent la collection de plantes sur le rebord de la fenêtre.

10

eau

L'amateur de plantes a souvent tendance à les traiter avec trop d'attention, particulièrement en ce qui concerne l'arrosage. Il les arrose trop fréquemment, provoquant ainsi leur dépérissement. En fait, un minimum de soins s'avère de loin plus efficace.

La règle la plus importante à retenir lors de l'arrosage est de toujours arroser à fond. La plupart des échecs proviennent de mauvais arrosages. De petits arrosages quotidiens s'avèrent funestes pour les plantes. De cette façon, l'eau ne fait que mouiller la surface du sol; les racines principales, situées en dessous, ne reçoivent pas d'eau: elles se dessèchent et meurent. Un arrosage « à fond » signifie que l'eau doit saturer complètement le sol, depuis la surface jusqu'au fond.

La meilleure façon de s'assurer de la complète saturation du sol est de l'arroser jusqu'à ce que l'eau s'échappe par l'orifice de drainage. Il suffit alors de retenir quelle quantité d'eau fut nécessaire et, par la suite, de toujours donner à la plante cette même quantité d'eau.

Considérons maintenant une autre règle importante: la fréquence des arrosages. La plupart des plantes ont besoin d'une période d'assèchement entre chaque arrosage. Ceci permet à l'air de pénétrer le sol jusqu'aux racines, pour fournir l'oxygène dont elles ont besoin. De plus, ce procédé provoque une croissance graduelle de la plante évitant ainsi un gigantisme inutile. Le besoin d'eau se reconnaît à l'apparence du sol et de la plante: ses feuilles deviennent molles et semblent vouloir se faner.

Par ailleurs, comme l'éclairage, le chauffage, la ventilation et les autres données affectant les plantes varient constamment dans une maison, il n'existe donc pas de règle stricte concernant la fréquence des arrosages. Chaque plante détermine elle-même ses besoins.

La vieille controverse concernant la supériorité d'un arrosage par le haut ou par le bas ne tient plus de nos jours. Il semblerait qu'elle soit née du fait que certaines personnes faisaient pourrir les couronnes de leurs violettes africaines ou de leurs géraniums en les arrosant trop abondamment. En fait un arrosage en surface, effectué correctement, convient à toutes les plantes. Il suffit d'utiliser un arrosoir muni d'un long bec. Quant aux violettes africaines, il faut éviter d'arroser leurs feuilles avec de l'eau froide, ce qui a pour effet de provoquer des taches brunes.

Avec les contenants sans orifice de drainage, il est difficile de déterminer si le sol

Un arrosoir à long bec permet d'arroser sans répandre d'eau.

est vraiment saturé. Pour contourner cette difficulté, il suffit d'insérer un entonnoir dans le sol et d'y verser de l'eau en notant la quantité utilisée.

Lorsque l'eau s'accumule dans l'entonnoir, le sol est saturé. Retirez alors l'entonnoir, en bouchant l'orifice avec le doigt, afin que l'eau ne s'échappe pas.

Quelques plantes arborescentes d'intérieur, comme le dracaena, s'accommodent fort bien d'arrosages aussi espacés que deux fois par mois. Chaque plante a besoin d'un programme d'arrosage qui lui est propre.

Enfin, de l'eau utilisée à la température de la pièce réussit mieux aux plantes que de l'eau froide. Il s'avère donc préférable d'ajouter un peu d'eau chaude à l'eau du robinet en emplissant l'arrosoir.

air, température et humidité

Des expériences en environnement contrôlé ont prouvé que la qualité de l'air ambiant influence grandement le taux de croissance des plantes. Des plants élevés en serre, dans des conditions idéales, ont atteint un taux de croissance supérieur aux prévisions. Par contre, les agents polluants, tel l'ozone, le dioxyde de soufre et les fluorures, affectent non seulement les arbres et les arbustes à l'extérieur, mais aussi les plantes de serre dont l'environnement n'est pas contrôlé.

Une bonne quantité d'air constitue la base de la croissance des plantes. L'air joue un rôle important dans le phénomène de photosynthèse par lequel les feuilles absorbent le dioxyde de carbone contenu dans l'air, le convertissant en hydrate de carbone pour enfin dégager de l'oxygène.

L'air pur s'avère bénéfique pour toutes les plantes. Une aération fréquente de la pièce où elles croissent leur procure une vi-

L'oranger calamondin et l'azalée préfèrent une température fraîche.

gueur nouvelle. Toutefois, les plantes ne doivent jamais être placées dans un courant d'air. Le poinsettia, par exemple, ira jusqu'à perdre ses feuilles s'il est placé dans un courant d'air.

Les plantes disposées sur les rebords de fenêtres doivent être déplacées lorsque vous ouvrez, spécialement durant les mois d'hiver. De plus, il faut s'assurer de l'étanchéité de ces fenêtres durant l'hiver. Une fuite d'air froid peut retarder considérablement la croissance des plantes.

Si vous possédez un appareil à air climatisé, il vous faut procurer aux plantes une quantité supplémentaire d'humidité durant l'été étant donné que les appareils de climatisation assèchent l'air (voir page 21).

Enfin, évitez de placer vos plantes près d'un radiateur, d'une bouche de chaleur, etc . . . L'air chaud qui en émane dessèche les feuilles de vos plantes, leur causant un tort irréparable.

La plupart des plantes de maison furent sélectionnées de façon à supporter la température ambiante, soit 68° à 72°F (20° à 22°C). Une légère baisse de température, durant la nuit, convient à la plupart des plantes.

Par contre, certaines plantes de serre froide, tels les azalées, les camélias, quelques orchidées, les cyclamens et les bulbes pour le forçage, supportent très mal la chaleur. Il est préférable de les acheter, en pleine floraison, chez le marchand de fleurs. On peut d'ailleurs prolonger leur existence en les plaçant dans un endroit frais pour la nuit.

18

Si vous devez absolument placer certaines plantes sur un radiateur ou un calorifère, ayez soin de poser une planche de bois épais ou une feuille d'amiante sur celui-ci. Cette précaution empêchera la chaleur d'entrer directement en contact avec les plantes. Cette pratique est notamment utile aux violettes africaines et aux violettes flamboyantes.

Quelques plantes ont des exigences particulières en ce qui concerne la température. Les gardénias exigent une température nocturne en deçà de 65°F (18.3°C) pour produire des boutons de fleur. Toutefois lorsque ceux-ci sont formés, la température doit être maintenue au-dessus de 70°F (21°C).

De la même façon, le cactus de Noël requiert une température fraîche durant l'automne afin de produire des boutons de fleur pour les Fêtes. Maintenez la température entre 42° et 68°F (5.5° à 20°C), pendant quelques semaines, puis ramenez-la à la normale.

L'humidité de l'air constitue un important facteur de réussite. Comme les plantes de maison proviennent, pour la plupart, des régions tropicales elles nécessitent un fort degré d'humidité. L'air de nos maisons contient rarement une telle humidité. On peut cependant y suppléer de différentes façons. Le plus facile est de grouper ses plantes dans des contenants remplis de cailloux et maintenus humides. L'eau des contenants ne doit toutefois pas entrer en contact avec la base des pots. L'évaporation graduelle de

Un contenant rempli de cailloux et maintenu humide, offre une solution adéquate au problème de l'humidité.

l'eau procurera un degré d'humidité adéquat. Ce procédé n'élimine pas pour autant la nécessité de bons arrosages.

Des contenants en métal ou en plastique sont disponibles dans les centres de jardinage. De très grands contenants, disposés sur le plancher, permettent d'effectuer d'intéressants arrangements de plantes tropicales. Des pierres ou des cailloux peuvent être obtenus dans les centres de jardinage, ou les centres de construction.

Une autre méthode, pour augmenter l'humidité, consiste à vaporiser le feuillage, chaque jour, avec un vaporisateur domestique. Cette vaporisation quotidienne s'avère nécessaire pour certaines plantes, notamment les orchidées. Si vous pouvez l'utiliser sans risquer d'endommager murs, tapis ou rideaux, cette méthode constitue un moyen excellent d'accroître l'humidité.

Si vous possédez un jardin intérieur, il serait bon d'utiliser un humidificateur électrique ou une fontaine décorative. Bien entendu, il est toujours possible de cultiver des plantes dans la salle de bain ou dans la cuisine où l'humidité est élevée, pourvu que la lumière y soit suffisante.

sol

L e succès d'une culture dépend largement de la qualité du sol. Habituellement les plantes achetées chez le fleuriste ou le grossiste possèdent un sol de bonne qualité. Cependant lorsque vient le temps de rempoter certaines plantes, l'amateur doit veiller à se procurer lui-même un terreau de bonne qualité.

Un bon terreau contient trois éléments principaux: du sable, de l'argile et de l'humus. Le sable, composé de fines particules de roches, rend la terre poreuse ce qui permet à l'eau de s'y infiltrer facilement. L'argile, en devenant compacte au contact de l'eau, donne de la consistance et assure la liaison entre les divers éléments. L'humus est constitué de matières organiques plus ou moins décomposées: feuilles, tiges, racines et matières animales. En outre, l'humus fournit plusieurs matières nutritives et permet au terreau de retenir plus d'humidité.

La meilleure recette de terreau consiste en trois parties égales de sable de maçon,

23

de terre de jardin argileuse et d'humus (généralement vendu sous forme de mousse de tourbe ou de compost). Ce terreau convient très bien à la plupart des plantes de maison.

A ceux qui possèdent un grand nombre de plantes, on recommande de constituer une réserve de terreau et de s'en servir au moment propice.

Les personnes résidant à la ville ou celles qui ne cultivent que quelques plants peuvent se procurer, en magasin, un terreau préparé d'avance. Il existe des variétés de terreau commercial spécialement préparées pour les cactus, les philodendrons, les violettes africaines, etc . . . Les ingrédients se vendent aussi séparément pour être mélangés à la maison. En outre, ces mélanges ou ces ingrédients commerciaux ont l'avantage d'avoir été stérilisés, ce qui élimine les maladies fongiques qui s'attaquent aux semis et aux boutures.

Si vous préparez vous-même votre terreau, ayez soin de bien le stériliser. Une vieille méthode consiste à cuire la terre, à four modéré durant une heure. Toutefois, l'odeur dégagée par cette cuisson ne plaît pas à tous!

La stérilisation chimique est beaucoup plus simple. Les produits utilisés étant nocifs, éloignez-en les enfants et les animaux. Stérilisez le sol avec du formol (40% de formaldéhyde). Utilisez deux cuillerées et demie à soupe de formol dans une tasse d'eau, pour chaque boisseau de terre. Arrosez la terre avec cette solution et mélangez bien. Couvrez le tout et laissez reposer

Mélangez d'abord le terreau avant l'empotage des plantes.

24

MÉLANGE DE CORNELL PEATLITE *(pour un boisseau)*

	mélange A	plantes à feuillage	épiphytes
mousse de tourbe ou de sphaigne	½ boisseau	½ boisseau	⅓ boisseau
vermiculite	½ boisseau	¼ boisseau	—
perlite	—	¼ boisseau	⅓ boisseau
écorce de pin Douglas (⅛-¼″) (¼-½ cm)	—	—	⅓ boisseau
argile dolomitique	5 tbs.[1] (45gr)	8 tbs. (72gr)	8 tbs. (72gr)
superphosphate 20%	2 tbs. (18gr)	2 tbs. (18gr)	6 tbs. (54gr)
fertilisant 10-10-10	3 tbs. (27gr)	3 tbs. (27gr)	3 tbs. (27gr)
potassium ou nitrate de calcium	—	1 tbs. (9gr)	1 tbs. (9gr)
dispersif adhésif en grains	3 tbs. (27gr)	3 tbs. (27gr)	3 tbs. (27gr)
dispersif adhésif liquide	1 tsp.[2] (3gr)	1 tsp. (3gr)	1 tsp. (3gr)

éléments mineurs solubles[3]

1. tbs.: cuillerée à table
2. tsp.: cuillerée à thé.
3. Une très petite quantité d'éléments mineurs doit être utilisée. Une quantité trop grande pourrait endommager la plante sérieusement. Dissolvez ⅓ de tasse (7 centilitres) dans un gallon (4¼ litres) d'eau. Ne répétez pas l'application.

pendant vingt-quatre heures (dans un endroit isolé). Découvrez ensuite et faites aérer pendant plusieurs jours.

Utilisez le terreau seulement lorsque toute odeur aura disparu.

Étant donné que les gens aiment cultiver plusieurs variétés de plantes, ils doivent souvent adapter les recettes classiques de terreau. Par exemple, les cactus peuvent réussir mieux dans un terreau plus sablonneux; certaines plantes tropicales préfèrent un sol plus riche en humus. L'expérimentation peut souvent produire d'excellents résultats.

Les mélanges de terreau sans terre gagnent de plus en plus la faveur populaire. Ces mélanges légers facilitent l'expédition des plantes, de la serre jusqu'aux détaillants. Les terreaux sans terre s'utilisent souvent en culture sous éclairage fluorescent. Faciles à utiliser, ils conviennent bien à ces plantes.

Un des mélanges les plus connus, le mélange « Cornell Peatlite », fut mis au point par James W. Boodley et Raymond Sheldrake Jr. Le mélange classique et deux de ses variations sont exposés à la page 26.

mélange A Recommandé pour les plantes en général, pour les semis de légumes et pour les fleurs.

mélange pour plantes à feuillage ornemental Recommandé pour les plantes nécessitant un terreau très humide. Les plantes à racines délicates ou capillaires sont comprises dans ce groupe:

agrumes	buis
amaryllis	caladium
aphelandra	cissus
bégonia	coleus
beloperone	fougères
figuier	palmiers
hedera	pilea
helxine	sansevieria
maranta	tolmiea
oxalis	

mélange pour plantes épiphytes

Recommandé pour les plantes nécessitant un bon drainage et une bonne aération et supportant bien une période d'assèchement entre les arrosages. Les plantes à tubercules, à cormus ou à rhizomes entrent dans cette catégorie:

aglaonema	hoya
aloe	monstera
bromélies	nephthytis
cactus	peperomia
crassula	philodendron
dieffenbachia	pothos
episcia	syngonium
géraniums	violettes africaines
gloxinia	

engrais

Les arrosages permettent aux éléments nutritifs du sol de se dissoudre dans l'eau et d'être absorbés par les racines. Ces éléments nutritifs, nécessaires à la croissance, proviennent de différentes sources: matières végétales et animales en décomposition, air, eau et minéraux entrant dans la composition du sol. L'abondance d'éléments nutritifs favorise la croissance des plantes. Toutefois ces éléments finissent par s'épuiser et ils doivent être remplacés par un apport d'engrais.

Certaines plantes à croissance active nécessitent une grande quantité d'éléments nutritifs. Ainsi, le lys Kafir doit être fertilisé fréquemment pour bien réussir. Par contre, la plupart des plantes d'intérieur requièrent une quantité moindre d'engrais; une fertilisation excessive leur fait plus de tort que de bien.

En effet, les éléments nutritifs qui ne sont pas absorbés promptement par les racines s'accumulent et deviennent toxiques, pouvant même éventuellement brûler les racines. L'excès de fertilisant provoque une accumulation de sels filtrant à travers les pores des pots d'argile et se déposant sur la paroi extérieure; ils forment également des dépôts sur les rebords des pots de plastique. Souvent même, ces dépôts se forment à la surface du sol.

Ces accumulations d'engrais, inutilisé par la plante, montrent bien l'inutilité de suralimenter une plante faible. En fait, les plantes ne nécessitent aucunement de « vitamines »; une forte dose d'engrais ne leur redonnera jamais un regain de vie et de santé.

Pour croître, les plantes ont besoin de trois éléments principaux: l'azote, le phosphore et la potasse. Les engrais en contiennent différentes quantités. Le pourcentage de chacun de ces trois éléments est indiqué par trois chiffres: 5-10-5, 20-20-20 ou 10-20-15, etc . . . Le premier chiffre représente le pourcentage d'azote (N), le second, le phosphore (P) et le troisième, la potasse (K). De plus, ces engrais contiennent une faible proportion d'éléments mineurs non indiqués par les chiffres: bore, calcium, cuivre, fer, manganèse, molybdène, soufre et zinc.

L'azote, très rapidement absorbé, rend les feuilles d'un beau vert riche. Le phosphore développe la force des tiges ainsi qu'un bon système de racines. La potasse encourage la formation de fleurs et assure à la plante une croissance vigoureuse.

Les meilleurs engrais pour la culture d'intérieur sont présentés sous forme de poudre soluble.

Ces engrais solubles se dissolvent complètement dans l'eau et sont immédiatement assimilables par les racines. Des résultats apparaissent au bout de quelques jours.

Le choix d'un type d'engrais doit toujours s'inspirer des besoins exprimés par la plante. Par exemple, lorsque les bourgeons des fleurs sont en formation, une application de fertilisant riche en potasse les rendra vigoureux; un feuillage anémique et jaunâtre exige un engrais riche en azote.

Certains engrais proviennent d'ingrédients chimiques, d'autres de matières organiques, particulièrement des émulsions de poisson, mais tous possèdent à peu près la même valeur nutritive. Ces fertilisants se vendent sous plusieurs marques de commerce possédant chacune leur formulation et leur mode de préparation propres. Lisez toujours attentivement les indications et les modes d'emploi afin d'éviter des erreurs fâcheuses.

Les engrais granulés, utilisés dans les jardins extérieurs s'avèrent peu pratiques pour les plantes de maison, étant donné la lenteur de leur dissolution. Ne les utilisez que si vous préparez de grandes quantités de terreau.

Il n'existe pas de règles strictes quant à la fréquence d'application d'un fertilisant, sauf dans le cas des plantes élevées à la lumière artificielle. Vu qu'elles sont constamment exposées à la lumière et qu'elles ne connaissent pas de période dormante, on peut les fertiliser une fois par semaine en ayant soin, toutes les quatre ou six semaines, de les arroser simplement avec de l'eau claire, pour éliminer les accumulations d'engrais.

Les plantes croissant à la lumière naturelle exigent une fertilisation moins fréquente. Une bonne façon d'agir serait de fertiliser la plante lorsqu'elle produit de nouvelles feuilles. Bien que les indications sur les étiquettes d'engrais commercial suggèrent une application à tous les dix jours ou à toutes les deux semaines (ce qui fait vendre beaucoup de ces produits), il est préférable de juger par soi-même des besoins de chaque plante.

Du printemps à l'automne, les plantes poussent vigoureusement et elles demandent plus de fertilisant qu'en hiver, alors qu'elles entrent en période semi-dormante. Les plantes à fleurs requièrent des applications fréquentes d'engrais au moment de la formation des bourgeons floraux et juste avant l'éclosion des fleurs. Les plantes à larges feuilles, tels les *dracaena,* les philodendrons et les *dieffenbachia,* croissent lentement et se contentent d'une application à tous les trois mois. Toutefois, le brusque jaunissement de plusieurs feuilles peut indiquer le besoin d'engrais chez ces plantes.

Enfin les plantes à sol acide, comme les gardénias, les camélias et les azalées, exigent un engrais de type acide.

empotage
et
taille

Les plantes d'intérieur se cultivent habituellement en pots de grès (argile) ou de plastique. Plus anciens, les pots de grès conservent toutefois la faveur des connaisseurs. Ils offrent en outre l'avantage d'être poreux, ce qui facilite le drainage. L'excès d'humidité s'échappe à la fois par l'orifice de drainage et par les pores des parois, lesquelles permettent aussi à l'air d'atteindre les racines. Ils ont cependant le désavantage d'être lourds et cassants.

Plus légers, les pots de plastique sont plus résistants et se présentent sous plusieurs couleurs. Ils sont également munis d'orifices de drainage, mais ne possèdent pas la porosité du grès. Les plants cultivés en pots de plastique demandent moins d'eau car celle-ci s'évapore moins vite dans ce genre de pot. En fait, les échecs liés aux pots de plastique proviennent souvent d'arrosages trop copieux.

Il existe plusieurs formes de pots. La plus commune—plus haut que large—convient à la plupart des plantes. On indique la taille des pots par la grandeur, en pouces (centimètres), du diamètre de la partie supérieure. Les grandeurs varient de deux pouces à plus de douze pouces (de 5.1 centimètres à plus de 20 centimètres). Des soucoupes, en grès ou en plastique, peuvent les accompagner.

Enfin certains pots, faits de plastique clair, permettent de voir les racines à travers les parois, sans pour cela endommager la plante.

Au moment de l'empotage, assurez-vous de la parfaite propreté des pots et ayez sous la main la quantité de terreau requise. Si vous utilisez des pots de grès, placez au fond (sur l'orifice de drainage) un tesson, c'est-à-dire une pièce de pot cassé ou encore quelques roches afin d'empêcher la terre de s'échapper par l'orifice. Les pots de plastique possèdent plusieurs petits orifices qui eux n'ont pas besoin d'être recouverts.

Placez dans le pot une poignée de terre, sans la tasser. Ensuite, en tenant la tige de la plante entre le pouce et l'index, emplissez l'espace vide autour des racines au moyen de l'autre main, tout en gardant toujours la tige bien droite. Ajoutez de la terre jusqu'à ce qu'elle atteigne le bord du pot.

Pressez ensuite la terre avec les doigts pour la tasser. Certains professionnels cognent ensuite le pot sur une table pour s'assurer que la terre entre parfaitement en contact avec les racines. Un arrosage copieux termine l'ouvrage, plaçant la terre et éliminant les poches d'air.

Après un certain temps, votre plante

Placez un tesson sur l'orifice de drainage afin d'empêcher la terre de s'échapper; recouvrez ensuite d'un peu de terre.

Placez la plante dans le pot de façon à ce que les racines puissent être entièrement recouvertes. Emplissez de terre l'espace existant autour des racines, jusqu'à ras bord. Tassez ensuite la terre avec vos doigts et arrosez.

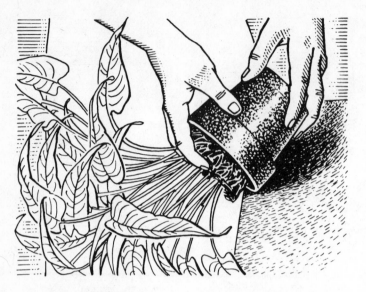

Pour savoir si un pot est complètement enraciné, tournez-le à l'envers et cognez-le sur une table, tout en supportant la terre avec la main

Une accumulation de racines, massées autour des parois, indique qu'il est temps de rempoter la plante dans un pot plus grand.

deviendra trop volumineuse pour son pot et vous devrez procéder à un rempotage dans un pot plus gros. Il existe plusieurs moyens de déterminer si la plante a besoin d'un rempotage. Le plus facile consiste à virer le pot à l'envers, en supportant la terre d'une main, et à le cogner contre une table ou un banc. Si l'enracinement de la plante est très compact, celle-ci glissera aisément hors du pot. Une masse de racines enroulées autour des parois signifie que l'on doit procéder au rempotage. Une autre méthode consiste à regarder si les racines s'échappent par l'orifice de drainage. Le jaunissement des feuilles ou le ralentissement de la croissance révèlent aussi un besoin de rempotage.

La seule règle à observer, lors du rempotage, est de transférer le plant dans un pot de un degré plus grand que le pot devenu trop étroit. En d'autres mots, une plante provenant d'un pot de quatre pouces (10 centimètres) doit être transportée dans un pot de cinq pouces (12.5 centimètres). Si vous rempotez dans un pot trop grand, la croissance de la plante s'effectuera au niveau des racines, mais au détriment du feuillage. En fait, la plupart des plantes aiment se sentir légèrement à l'étroit.

Si les racines s'avèrent trop tassées, il est possible de les séparer et même d'en couper quelques-unes.

Certains arbres, placés en baquet, peuvent y demeurer de nombreuses années si vous prenez soin de renouveler la terre en surface. Enlevez quelques pouces (centimètres) de terre en prenant garde de ne pas endommager les racines à la surface. Remplacez-la par de la terre fraîche et arrosez copieusement.

Lorsque vous devez planter vos plants directement dans des jardinières décoratives, des pots de céramique, des urnes antiques etc. qui ne possèdent pas d'orifice de drainage, placez-y au fond une couche de tessons, de cailloux ou de tout autre matériau pouvant créer un espace où l'eau puisse s'égoutter. Cette couche devrait avoir environ trois pouces (7.5 centimètres) d'épaisseur, plus ou moins selon la grandeur du contenant. Utilisez aussi un terreau léger afin qu'il demeure friable et s'égoutte bien. Ceci s'obtient en ajoutant du sable, du vermiculite ou de la perlite à la recette habituelle de terreau.

N'oubliez pas, enfin, que les contenants sans orifice de drainage exigent beaucoup moins d'eau.

D'autre part, la taille sert à contrôler la croissance et la forme des plantes. La plupart des plantes de maison endurent bien une taille légère. Seulement les violettes africaines, les géraniums fraisiers et les autres plantes croissant à partir d'une couronne ne nécessitent pas de taille.

Pour être vraiment efficace, la taille devrait s'effectuer lorsque la plante est encore relativement jeune. En effet, une taille légère avant la maturité est de loin supérieure à un rabattement radical après la maturité. Toutefois, même une plante adulte y gagne en apparence lorsqu'elle est taillée franchement.

Les plantes ligneuses, tels les gardénias,

les fuchsias et les agrumes, se taillent avec des sécateurs pour arbustes. Les gardénias, par exemple, développent des « gourmands » sur la partie supérieure de la tige. Ces jeunes pousses doivent être éliminées pour conserver à la plante une forme attrayante. Les fuchsias aussi développent des tortillons sauvages qui doivent être éliminés.

Les plantes à tiges molles, tels les coleus et les philodendrons, peuvent se tailler en pinçant l'extrémité de leurs nouvelles pousses juste en haut d'un nœud (l'endroit où les feuilles sont reliées à la tige). Cette taille favorise la pousse de branches sous la coupe, sauf chez les plantes grasses adultes dont les tiges sont devenues ligneuses.

Lorsqu'une plante devient trop élevée, atteignant le plafond par exemple, le marcottage aérien (voir page 245) permet de la contrôler et d'obtenir un nouveau plant.

entretien

Enlevez immédiatement
feuilles et fleurs fanées,
spécialement celles des
oxalis.

Un bon entretien permet aux plantes de conserver une apparence saine et luxuriante. Rien ne dépare plus une collection qu'un pot terreux, quelques feuilles jaunes ou des fleurs fanées. Bien qu'il soit souvent fastidieux de surveiller constamment un grand nombre de plantes, ayez soin tout de même d'enlever feuilles et fleurs mortes lorsque vous les apercevez. Si vous possédez une grande collection de plantes, accordez au moins une heure par semaine à leur entretien.

Pour conserver le lustre
des feuilles, lavez-les
avec un coton imbibé
d'eau.

La poussière s'accumule constamment sur les plantes à larges feuilles, spécialement à la ville ou dans le voisinage des industries lourdes. La meilleure façon d'enlever cette poussière est de laver les feuilles avec une éponge et de l'eau tiède; avec une poussière très grasse ou collante, utilisez un savon très doux et rincez bien à l'eau claire. Evitez les laits nettoyants et les cires lustrantes: ces produits bouchent les stomates (pores de la feuille).

40

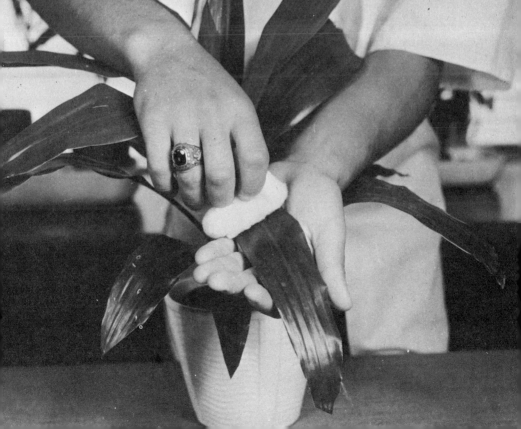

Les petites plantes se nettoient facilement en les plaçant dans l'évier et en leur donnant une douche d'eau tiède.

De fréquentes vaporisations d'eau sur le feuillage aident aussi à le conserver propre. Cette pratique convient spécialement bien aux plantes à feuilles veloutées telles les violettes africaines.

N'oubliez pas les pots, les jardinières, les potiches et autres contenants: grattez, avec un couteau, les accumulations de sels minéraux ou de moisissure. S'il se forme une croûte blanche à la surface du sol, grattez la terre et remplacez-la par de la terre fraîche. Certains contenants et certaines jardinières ont tendance à noircir; lavez-les à l'eau et au savon. Les contenants de bois peuvent être cirés et polis de temps en temps pour rehausser leur apparence.

Un séjour à l'extérieur, durant l'été, revigore la plupart des plantes. Les plantes de soleil, tels les géraniums, les agrumes et les lys Kafir, peuvent être placés en plein soleil. Si vous possédez un jardin extérieur, vous pouvez disposer ces « vacancières » à même les plates-bandes en enfouissant le pot dans la terre. Prenez tout de même la précaution de placer une couche épaisse de cailloux au fond de l'orifice afin d'empêcher la plante de s'enraciner dans la plate-bande par l'orifice de drainage. Vos « vacancières » exigeront aussi des arrosages plus fréquents que l'ensemble du jardin car leurs racines demeurent confinées à l'intérieur du pot et n'ont pas accès à l'humidité environnante du sol.

Placez les gardénias, les philodendrons, les *schefflera,* les *dracaena* et autres plantes tropicales dans un endroit mi-ombragé, par exemple, sous un arbre aux larges branches ou sur un patio couvert. Veillez à maintenir un degré d'humidité suffisant durant les périodes d'intense chaleur. Les plantes à feuillage tendre, telles les violettes africaines, doivent demeurer à l'intérieur ou encore dans un portique ou un patio grillagé, à l'abri des rayons directs du soleil.

Inspectez minutieusement vos plantes à la rentrée afin de ne pas introduire dans votre maison des insectes indésirables, notamment des araignées, des pucerons ou des mouches blanches. Une bonne douche suffit souvent à débarrasser les plantes des petits insectes. S'ils persistent, utilisez un insecticide de maison, en aérosol, à base de pyréthrine ou de malathion.

Une taille d'importance s'impose souvent à la rentrée. Taillez autant qu'il le faut pour redonner à la plante une forme compacte. Conservez des tiges coupées pour fins de bouturage.

Entrez vos plantes, au début de septembre, afin qu'elles puissent se réadapter à la maison avant que vous ne chauffiez.

D'autre part, si vous partez en vacances, de simples sacs de plastique formant de petites serres, vous permettront de laisser vos plantes seules, en toute sécurité. Arrosez d'abord les plantes, la veille du départ, et assurez-vous que les sacs ne contiennent pas d'insectes.

Enveloppez chaque plante individuellement de la façon suivante: introduisez les

43

*L'if méridional, la vio-
lette africaine, le lierre et
plusieurs autres plantes
se suffisent à elles-
mêmes durant de lon-
gues périodes lorsqu'el-
les sont arrosées et
recouvertes d'un sac de
plastique scellé autour
du pot.*

feuilles dans le sac et attachez celui-ci autour du pot au moyen d'un élastique. Placez vos plantes dans un endroit éclairé; mais non ensoleillé en laissant un peu d'espace entre chacune. Partez en toute quiétude car vos plantes peuvent demeurer ainsi durant au moins deux mois. Assurez-vous seulement, au départ, qu'elles sont suffisamment arrosées et qu'elles sont situées près de la lumière, mais non exposées au soleil. (Le soleil causerait une croissance trop rapide, une transpiration surabondante et une trop grande élévation de température à l'intérieur de la mini-serre.) Assurez-vous aussi de la parfaite étanchéité des sacs.

Enfin, dans le cas d'une absence de courte durée (de cinq à sept jours), il suffit simplement de les arroser copieusement et de les placer loin du soleil.

45

signes de défaillance

Lorsqu'une plante ne pousse pas comme elle le devrait, elle montre les signes tangibles d'une carence quelconque. Une fois cette carence déterminée, elle peut être corrigée.

Le novice, cependant, a souvent tendance à s'alarmer outre mesure et à lui prodiguer toutes sortes de soins (en particulier par une dose massive d'engrais ou de pesticide), tant et si bien qu'il finit par rendre sa plante vraiment malade.

Dans la majorité des cas, le problème provient simplement d'un dérèglement de la croissance. Voici quelques-uns des symptômes les plus courants; tous peuvent être éliminés en modifiant la méthode de culture utilisée.

L'ajustement physiologique se produit lorsqu'une plante élevée en serre (où les conditions de température, d'éclairage et d'humidité sont idéales) se retrouve subitement dans une pièce surchauffée et sèche de la maison. Elle subit alors un « choc » et

Lorsque la terre devient trop tassée, il faut l'aérer avec une fourchette.

46

perd quelques feuilles (habituellement de vieilles feuilles) pour s'adapter à son nouvel environnement. Cette situation se produit en particulier avec les plantes reçues en cadeau aux Fêtes. Enlevez alors les feuilles jaunies et arrosez la plante normalement. Si le jaunissement persiste, modifiez l'éclairage et la fréquence des arrosages. (Voir aussi la section des soins particuliers, aux pages 74 et 75).

Les arrosages surabondants emplissent d'eau les interstices du sol et ils chassent l'air, empêchant ainsi les racines d'assimiler l'oxygène nécessaire à leur croissance. Ce manque d'oxygène, doublé d'un lessivage des éléments nutritifs, endommage les racines. Il s'ensuit un jaunissement des feuilles. Le remède consiste à interrompre les arrosages jusqu'à ce que la plante soit sur le point de se flétrir. Rétablissez alors progressivement les arrosages en diminuant leur fréquence. Après une semaine ou deux, appliquez un engrais soluble. Si la croissance ne reprend pas son cours normal, rempotez-la dans de la terre neuve.

Une carence d'éléments nutritifs provoque le jaunissement graduel du feuillage. Celui-ci débute sur le pourtour de la feuille et s'étend ensuite sur toute son étendue. Quelquefois une simple fertilisation suffit, mais le plus souvent ce jaunissement signifie que la plante a besoin d'être rempotée dans un plus grand pot. (Voir p. 33).

Des feuilles petites font souvent la désolation de ceux qui cultivent des philodendrons. Les nouvelles feuilles deviennent de plus en plus petites. Un manque de lumière en est la cause. Donnez-lui un meilleur éclairage et lavez souvent ses feuilles.

D'autre part, un éclairage trop abondant occasionne souvent le même trouble, notamment chez les violettes africaines trop exposées au soleil. Les placer dans un endroit moins ensoleillé améliore la situation.

Les taches sur le feuillage proviennent également d'une surabondance de soleil. Eloignez donc les plantes affectées des rayons solaires. Des gouttes d'eau, trop froides ou trop chaudes, tombant sur les feuilles provoquent aussi des taches. Les violettes africaines, entre autres, sont particulièrement sensibles aux gouttes d'eau froide.

Le brunissement du pourtour des feuilles révèle une négligence de votre part. Vous arrosez sans doute trop ou pas assez vos plantes, endommageant ainsi leurs racines. Le brunissement du pourtour se produit aussi lorsqu'on expose une plante aux courants d'air. Une accumulation d'engrais autour du pot peut aussi endommager les feuilles qui s'y frottent. Grattez alors ces dépôts.

Des tiges grêles et allongées indiquent un manque de lumière ou une température trop élevée. Transportez alors les plantes dans un endroit mieux éclairé et plus frais.

Une carence de fleurs se produit souvent lorsque la plante est suralimentée. Interrompez alors vos applications d'engrais, en particulier durant l'hiver.

Une modification brusque de la routine, « par exemple un assèchement du sol ou une modification de l'éclairage », amène

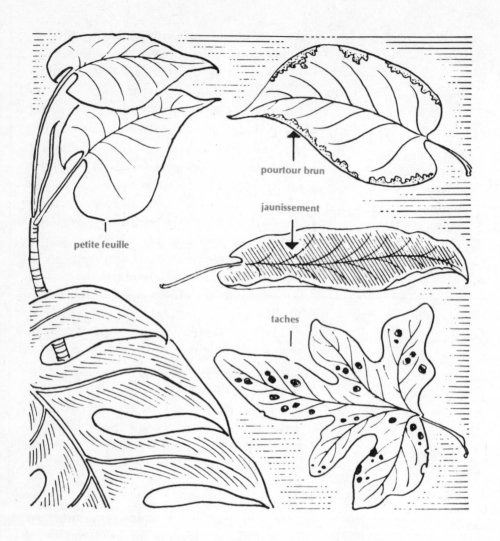

petite feuille

pourtour brun

jaunissement

taches

une plante paresseuse à fleurir. Un engrais encourageant la floraison est recommandé si la plante n'est pas suralimentée.

Un arrêt de la croissance indique un manque de lumière. La plante ne fait qu'exister et ne pousse plus. Plusieurs plantes réagissent ainsi à un écourtage de l'éclairage, notamment les *columnea,* les cactus et les plantes grasses, les violettes flamboyantes, les nautilocalyx, les violettes africaines et les *hoya carnosa.*

insectes

D'où proviennent donc ces insectes dont on remarque tout à coup la présence sur les feuilles? En fait, ils proviennent de plusieurs sources. Ils s'introduisent souvent à l'achat d'un nouveau plant. D'autres proviennent de la terre employée; d'autres enfin s'infiltrent par les fenêtres.

Vaporisations et lavages fréquents du feuillage aident à prévenir la propagation d'insectes. Une plante nouvelle doit toujours être isolée pendant quelques semaines avant d'être placée avec les autres. Si des insectes apparaissent durant cette période, il est alors facile de les éliminer. De plus, l'examen occasionnel des pétioles et de l'envers des feuilles, des pousses neuves et des bourgeons de fleurs permet de découvrir à temps la présence des insectes.

Si vous décelez la présence d'insectes, isolez immédiatement la plante.

Une bonne douche d'eau tiède dans l'évier suffit souvent à les éliminer. Couvrez le sol avec un papier, retenu par la main, et

52

placez le feuillage sous le robinet. Cette pratique permet de se débarrasser des araignées rouges, des cochenilles et des mouches blanches. Toutefois une forte infection nécessite une application de pesticide. Les insecticides en aérosol, spécialement conçus pour la maison, demeurent les plus recommandables.

Suivez toujours scrupuleusement le mode d'emploi indiqué et appliquez ce traitement dans un endroit isolé. Vaporisez complètement la plante, surtout en dessous des feuilles. Laissez la plante sécher pendant environ une heure.

Les insectes les plus susceptibles de s'attaquer aux plantes d'intérieur sont décrits plus bas, de même que le traitement à appliquer dans chaque cas.

fourmis Les plantes infestées de pucerons, de cochenilles ou de kermès attirent souvent les fourmis qui se nourrissent du miel que ces insectes sécrètent. Leur destruction élimine du même coup les fourmis.

pucerons Verts, noirs, ou rouges, ces insectes ont un corps en forme de poire et de longues pattes. Quelques-uns d'entre eux ont des ailes; les autres, pas. Ils s'accumulent sur les nouvelles pousses et sur les bourgeons floraux. Ils sucent la sève et causent la distorsion des feuilles et des bourgeons. Certains s'attaquent même aux racines. En cas d'infestation mineure, lavez le feuillage; vaporisez de rotenone ou de malathion lors des infestations graves.

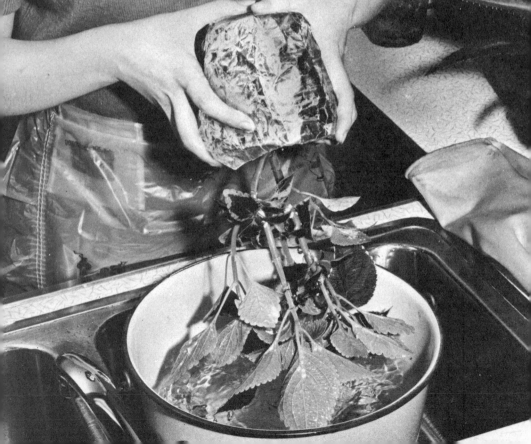

De la ouate, trempée dans de l'alcool à friction, détruit les cochenilles.

Ce coleus, très infesté, doit être trempé dans une solution d'insecticide utilisée selon les directives du fabricant.

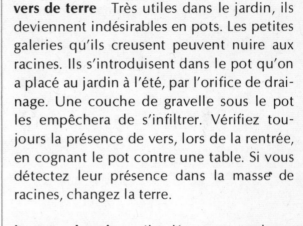

vers de terre Très utiles dans le jardin, ils deviennent indésirables en pots. Les petites galeries qu'ils creusent peuvent nuire aux racines. Ils s'introduisent dans le pot qu'on a placé au jardin à l'été, par l'orifice de drainage. Une couche de gravelle sous le pot les empêchera de s'infiltrer. Vérifiez toujours la présence de vers, lors de la rentrée, en cognant le pot contre une table. Si vous détectez leur présence dans la masse de racines, changez la terre.

insectes larvaires Ils déposent quelquefois leurs œufs sur la terre des pots, même dans la maison. Les œufs se métamorphosent en petites larves blanches qui se nourrissent à même les racines. On les retrouve dans les terreaux contenant une forte quantité d'humus, de mousse de tourbe ou de compost. L'application d'eau de chaux (disponible à la pharmacie), dans la terre, les élimine.

cochenilles Elles sont recouvertes d'un duvet blanc qui les fait ressembler à de petits grains de ouate. Ces insectes lents sucent la sève occasionnant un ralentissement de la croissance des plantes. On les aperçoit généralement sur les pédoncules, à l'envers et sur les veines des feuilles et sous l'enveloppe protectrice des bourgeons de fleurs. Les cochenilles s'attaquent surtout aux violettes africaines, aux gardénias, aux *tolmiea*, aux coleus, aux *crassula*, aux cactus, aux crotons et aux bégonias.

Les cochenilles sont difficiles à éliminer. Lorsqu'il n'y en a que quelques-unes, tuez-les à mesure que vous les apercevez en les frottant avec de la ouate imbibée d'alcool. En cas d'infestation très marquée, isolez la plante; immergez-la dans une chaudière, remplie d'une solution de malathion, préparée à partir de deux cuillerées à thé de concentré (à 57%) par gallon d'eau. Ajoutez une demi-cuillerée à thé de détergent domestique comme agent digressif-adhésif. Répétez ce procédé après deux semaines, si nécessaire.

les mille-pattes Ils ressemblent à des vers mais ils possèdent un corps dur et de nombreuses pattes. Ils se nourrissent à même les racines, les bulbes, les tubercules et les tiges souterraines. Ils sont plus une nuisance qu'un véritable danger. Une bonne hygiène accordée aux plantes (enlèvement des feuilles mortes et des débris où ils se reproduisent) prévient leur apparition.

les araignées rouges Si elles existent en grand nombre, leurs toiles donnent aux feuilles une apparence poussiéreuse. Elles sucent la sève et provoquent le jaunissement des feuilles qui finissent par tomber. Laissée à elle-même, la plante peut même en mourir. Une vaporisation fréquente des feuilles (y compris l'envers) aide à prévenir l'apparition des araignées rouges.

Une grande infestation exige une immersion dans une solution de malathion telle que décrite dans le cas des cochenilles. Les plants très gravement atteints doivent être jetés afin d'éviter la contamination d'autres plantes. Le lierre attire particulièrement l'araignée rouge; les nouveaux plants doivent donc être immunisés dès leur arrivée à la maison. Plongez les feuilles dans une eau savonneuse, tiède, pendant quelques minutes, puis rincez à l'eau tiède et répétez, au besoin. Les araignées vivent surtout dans un environnement sec, chaud et ensoleillé et se multiplient rapidement.

kermès   Ces petits insectes, blancs, bruns ou noirs, sont protégés par une écaille résistante. Ils passent souvent inaperçus jusqu'à ce qu'ils se concentrent à l'arrière des feuilles, le long des veines. Ils sucent la sève et retardent la croissance. On les retrouve le plus souvent sur les fougères, les palmiers ou les cactus. On peut les enlever aisément avec une vieille brosse à dent. Pour une infestation plus marquée, utilisez la méthode pour combattre les cochenilles.

cloportes   De forme ovale, ils ont un corps dur, d'environ un quart de pouce (.6 centimètre) de long, et constituent plus une nuisance qu'un danger. Ces insectes nocturnes se nourrissent de matière organique en décomposition et quelquefois, de radicelles. Le traitement au malathion est efficace contre eux.

podures   Ils tirent leur nom de leur queue avec laquelle ils se propulsent lorsqu'on les dérange. Ces petits insectes blancs (un quart de pouce (.6 centimètre), se nourrissent de matière organique en décomposition et se tiennent à la surface du sol. Bien qu'ils soient sans danger, on peut les détruire à l'aide d'un insecticide en aérosol.

thrips Difficiles à apercevoir au repos, ils s'enfuient et volent autour de la plante lorsqu'on les dérange. Ils se nourrissent de sève à même les fleurs et les feuilles. Les dommages qu'ils causent apparaissent sous forme de stries sur les feuilles, accompagnées de petits dépôts noirs. Utilisez un insecticide en aérosol ou pratiquez l'immersion dans du malathion (voir cochenilles) pour les enrayer.

les mouches blanches Elles se multiplient beaucoup, en peu de temps. Lorsqu'on dérange une plante qui en est infestée, les mouches s'élèvent en nuage. Elles sucent la sève et font jaunir les feuilles qui finissent par tomber. Elles produisent un miel épais qui attire les fourmis. Une vaporisation de malathion ou de rotenone, répétée à toutes les semaines, en vient à bout.

calendrier des soins

janvier

Les bulbes empotés des tulipes, des jonquilles, des crocus et des iris hollandaises sont maintenant suffisamment enracinés pour les forcer. Les pots amenés de l'extérieur doivent être habitués à la chaleur, graduellement, jusqu'à l'apparition des feuilles. Placez-les alors à la lumière, puis en plein soleil lorsque les bourgeons floraux se forment.

Inspectez vos plantes: spécialement les fuchsias et les *lantana,* afin de prévenir l'apparition de mouches blanches. Isolez les plantes infestées.

Les géraniums conservent une belle apparence durant l'hiver pourvu qu'ils ne soient pas trop arrosés. Fertilisez-les une fois par mois (à toutes les trois semaines s'il se produit une floraison).

Plantez vos amaryllis dans des pots de 6 pouces (15.3 centimètres) de diamètre.

N'oubliez pas que les gardénias préfèrent un environnement frais et humide. Vaporisez les feuilles chaque jour avec de l'eau tiède.

février

Il est encore temps de rentrer à l'intérieur quelques pots de bulbes, pour le forçage.

Semez vos graines de coleus, de géraniums, de coctus et de violettes africaines.

Des branches de forsythie ou de cognassier peuvent être facilement forcées à l'intérieur maintenant.

Vaporisez les orchidées, chaque jour, pour maintenir un degré d'humidité élevé.

Empotez les nouveaux tubercules de *gloxinia*, vous assurant de les planter dans le bon sens: la partie arrondie va en bas.

Les bégonias tubéreux plantés maintenant seront en fleur pour la fin de mai.

Une diminution importante du nombre de fleurs sur vos violettes africaines peut signifier qu'elles devraient être divisées et rempotées. Séparez la plante-mère en plusieurs parties, empotées individuellement, et conservez quelques feuilles vigoureuses pour fins de bouturage.

mars

Entrez quelques branches de lilas pour les forcer.

Mars est le meilleur moment pour effectuer un marcottage aérien sur les plantes ligneuses devenues trop hautes, entre autres les *dracaena*, les figuiers, les *dieffenbachia* et les *schefflera*.

Les pots suspendus reprendront de la vigueur avec le retour du soleil. Nettoyez ces pots maintenant et procédez à leur rempotage s'il y a lieu.

Assurez-vous que vos coleus, vos *tolmiea*, vos crotons, vos *hoya* et vos gardénias ne contiennent pas de cochenilles. Le traitement doit quelquefois être répété à tous les dix jours afin de détruire les nouveaux nids.

Portez les tubercules de *caladium* dans un terreau riche en humus. Gardez le tout humide jusqu'à l'apparition des pousses.

Semez des géraniums hybrides ou prenez des boutures sur les géraniums odorants.

Rempotez vos camélias si le besoin s'en fait sentir ou si leurs fleurs sont fanées.

avril

Comme le soleil devient de plus en plus fort, des fertilisations plus fréquentes s'imposent: à toutes les deux ou trois semaines pour les plantes à fleur.

Déménagez les violettes africaines et autres plantes fragiles sur une fenêtre, exposée à l'est ou à l'ouest.

Vaporisez fréquemment les fougères afin de conserver l'humidité nécessaire à leur croissance.

Les plants semés au cours de l'hiver sont maintenant prêts à être empotés individuellement.

Les cactus sont prêts à fleurir, avec l'accroissement des heures de soleil. Arrosez-les un peu plus.

C'est le moment de prélever des boutures de gardénia. Elles se développeront durant l'été et seront de bonne taille à l'automne.

Plantez maintenant les achimènes: elles fleuriront cet été.

mai

Des semis de *lantana* et de fuschia sont disponibles chez les pépiniéristes. Choisissez un plant jeune, à tige unique, et cultivez-le vous-même. Les géraniums peuvent démarrer maintenant ou à l'automne.

Dans les régions tempérées, on plante les lys de Pâques en pleine terre après leur floraison. Placez-les dans un endroit ensoleillé et bien drainé. Le lys ne supporte pas les hivers rigoureux.

Attention aux insectes pouvant s'infiltrer dans la maison; des pucerons peuvent apparaître sur les jeunes pousses des semis. Isolez les plantes infestées.

Continuez à fertiliser régulièrement les gardénias, les lys Kafir, les bégonias et toutes les plantes en fleurs ou en boutons. Les plantes à feuillage demandent moins de fertilisant.

Tournez souvent les pots de *gloxinia* pour obtenir une croissance équilibrée et symétrique.

juin

Maintenant que tout danger de gelée tardive est passé, vous pouvez déménager vos plantes à l'extérieur pour l'été. Un patio semi-ombragé ou un endroit sous les arbres est idéal pour les plantes tropicales à larges feuilles, tels les *schefflera,* les figuiers, les *dracaena* et autres. Ne les placez jamais directement au soleil. Les plantes à fleurs (bégonia, géranium, lantana, fuchsia) peuvent être placées en plein soleil ou dans les plates-bandes. Mettez une couche épaisse de tessons ou de·cailloux sous les pots, avant de les enfouir dans la terre afin d'empêcher les racines de pousser à travers l'orifice de drainage.

Ne sortez ni les *gloxinia,* ni les violettes africaines et autres plantes à feuilles veloutées. Il est préférable de les garder à l'intérieur ou dans un portique grillagé.

Nettoyez les jardins intérieurs. Lavez les pots et le gravier de drainage. Desinfectez le tout. Détruisez les parasites et les insectes et procédez au rempotage s'il y a lieu.

juillet

Tournez les plantes enfouies dans le jardin toutes les deux ou trois semaines afin d'éviter leur enracinement.

N'oubliez pas de vaporiser les plantes demeurées à l'intérieur. Ne les exposez pas aux courants d'air nocturnes.

Si vos *gloxinia* ont fini de fleurir, faites-en sécher les tubercules et remisez-les jusqu'à l'hiver.

Les orchidées cessent parfois de fleurir pendant l'été. Profitez-en pour vérifier si elles ne nécessitent pas un rempotage. Utilisez du terreau à orchidée et assurez-vous de la parfaite propreté des pots utilisés.

Si vous partez en vacances, utilisez la méthode des sacs de plastique (page 43). Vos plantes survivront durant des semaines et auront souvent meilleur aspect à votre retour qu'à votre départ.

août

Faites bouturer des feuilles de bégonias rex et de violettes africaines.

Continuez à fertiliser les *lantana* et les fuchsias que vous voulez amener à maturité.

Continuez à tourner les pots placés en pleine terre pour éviter leur enracinement.

Commandez maintenant les bulbes que vous désirez forcer, en pot, à l'automne: tulipes, jonquilles, crocus, jacinthes et quelques autres petits bulbes.

Semez des marigolds et des capucines, à l'intérieur. Elles fleuriront à l'automne, près d'une fenêtre ensoleillée.

Empotez les bulbes d'oxalis. Ils fleuriront de bonne heure à l'automne.

Conservez des noyaux d'avocats pour les enfants. Ils auront plaisir à les cultiver.

septembre

Rentrez les plantes afin de les réhabituer à la maison, avant le chauffage. Assurez-vous qu'elles ne contiennent pas d'insectes. Taillez celles qui ont poussé outre mesure et conservez des retailles pour fins de bouturage. Rempotez les plantes dont le pot est devenu trop petit.

Prélevez des boutures sur les fleurs de vos plates-bandes telles les impatientes, les géraniums, les coleus, etc . . .

Les bois regorgent de jeunes pousses et de mousses. Elles conviennent très bien à un terrarium.

Entrez vos paniers suspendus. Eliminez-en les insectes et les tiges faibles ou endommagées.

Renouvelez votre provision de pots, d'engrais et de terreau.

octobre

Pour faire fleurir les *poinsettia* et les cactus de Noël, suivez la méthode expliquée aux pages 93 et 137.

Le chauffage de la maison assèche beaucoup les plantes. Multipliez les vaporisations du feuillage et utilisez des contenants de gravier pour compenser ce manque d'humidité.

Empotez maintenant les bulbes rustiques afin qu'ils aient le temps de développer suffisamment de racines pour être forcés, à l'intérieur, cet hiver. Placez-les dans un endroit frais: garage, couche froide ou autre, à l'abri des fortes gelées.

Arrachez les tubercules de bégonias et de caladiums et faites-les sécher. Placez-les dans du vermiculite ou de la perlite légèrement humide et remisez-les dans un endroit bien aéré et frais.

novembre

Maintenant que les jours raccourcissent, vous devez diminuer l'apport d'engrais.

Les boutures de coleus, de violettes africaines, d'impatientes, de bégonias et autres préparées maintenant, seront de bonne taille aux Fêtes.

Vérifiez la présence possible de cochenilles ou de mouches blanches sur vos plantes.

Eloignez les plantes des rebords de fenêtres si la température est très froide à l'extérieur.

Empotez les amaryllis africaines et les narcisses « paperwhite », qui fleuriront en décembre.

Semez des bégonias et des violettes africaines. Les membres de sociétés horticoles peuvent maintenant s'échanger les semences de variétés rares, disponibles en hiver.

71

décembre

Empotez dès le début du mois les boutures suffisamment enracinées. Vous pourrez les offrir en cadeau, à Noël.

Cultivez des cyclamens dans un endroit frais et humide.

Les branches de houx et de conifères utilisées comme décoration de Noël doivent être conservées dans un endroit frais avant leur utilisation. Humectez-les chaque jour, si possible, pour prolonger leur durée.

N'oubliez pas que plusieurs accessoires de jardinage peuvent facilement se donner en cadeau: pots de fantaisie, livres de jardinage, outils, vaporisateurs, paquets de graines etc . . .

72

liste des variétés

Les pages suivantes décrivent les plantes de maison les plus populaires. La plupart sont accompagnées d'illustrations en couleur. Chaque plante est décrite séparément, de même que son mode de culture. Cependant, ces modes de culture peuvent varier dépendant des conditions d'éclairage, d'humidité et de température de votre intérieur. Lorsque des soins particuliers s'imposent, ils sont soulignés. Autrement, le lecteur n'a qu'à suivre les soins de base explicités précédemment et résumés ici:

sol Un terreau composé de trois parties égales de sable, de terre à jardin et d'humus convient à la plupart des plantes.

eau Arrosez les plantes copieusement en laissant la terre sécher entre chaque arrosage.

humidité Augmentez l'humidité en vaporisant de l'eau sur le feuillage et en plaçant les pots dans des contenants remplis de gravier humide.

engrais Fertilisez les plantes à croissance active lorsque nécessaire.

lumière Elle varie en intensité d'une pièce à l'autre. Une fenêtre orientée au sud est en plein soleil; orientée à l'est, elle fait face au soleil du matin, à l'ouest, au soleil de l'après-midi; orientée au nord, elle ne reçoit pas de soleil. Des rideaux suffisent à filtrer les chauds rayons du soleil d'été.

74

Les plantes décrites aux pages suivantes sont placées par ordre alphabétique d'après leur nom commun.

Le nom se réfère à une seule plante, un groupe ou une famille entière. A cause des différences d'appellation de chaque plante, le nom scientifique, indiqué entre parenthèses, suit le nom commun. Les plantes faisant partie du même groupe se cultivent approximativement de la même façon, sauf indication contraire. On peut acheter les plantes d'intérieur les plus communes dans les centres de jardinage, chez les fleuristes ou dans les supermarchés. Choisissez des variétés pouvant tolérer les conditions climatiques de votre maison et assurez-vous qu'elles sont vigoureuses et en bonne santé. Evitez celles dont les feuilles sont jaunies. Regardez derrière les feuilles: si vous y décelez des insectes, choisissez une autre plante.

Les plantes plus rares doivent être achetées chez le pépiniériste ou dans une serre spécialisée dans la culture des plantes de maison. Ces endroits spécialisés offrent des catalogues fort intéressants; certains sont gratuits, d'autres, pas.

Les sociétés horticoles offrent aussi des possibilités. Plusieurs de leurs membres élèvent des plantes rares et se montrent intéressés à les vendre ou à les échanger. Moyennant un déboursé annuel modique, vous pouvez en faire partie.

l'achimène

Achimène *(Achimenes)*. Cette plante voyante inclut plusieurs variétés à rameaux retombants qui se cultivent bien en pots suspendus. Plantez les rhizomes, au début du printemps, dans un terreau riche en humus. Placez-les près d'une fenêtre orientée à l'est ou à l'ouest. Lorsque les pousses atteignent quelques pouces (centimètres) de hauteur, pincez-les pour encourager la pousse de branches latérales. L'achimène donne, tout l'été, des fleurs blanches, roses, jaunes, bleues ou violettes, en forme de pétunia. Conservez un haut degré d'humidité pour encourager une floraison continue. Après la floraison, laissez sécher les rhizomes et remisez-les jusqu'au printemps suivant. *Habitat naturel:* les régions tropicales de l'Amérique centrale.

La violette africaine *(Saintpaulia ionantha)* fleurit toute l'année dans des teintes de bleu, de pourpre, de rose ou de blanc. Elle préfère une fenêtre orientée à l'est, à l'ouest ou au sud (protégée par un rideau du soleil direct). Elle aime une température confortable, de 65° à 70°F (18° à 21°C). Une température trop fraîche fait pâlir ses feuilles et les fait pencher vers le bas. Utilisez un terreau commercial ou encore un mélange de trois parties égales de sable, de terre de jardin et d'humus. Gardez la terre humide, mais arrosez-la toujours à l'eau tiède (l'eau froide tache les feuilles). Un engrais soluble permet d'obtenir une floraison continuelle. La violette africaine pousse bien sous un éclairage artificiel.   *Habitat naturel:* l'Afrique de l'Est tropicale.

trois variétés de violettes africaines

le pilea

Pilea *(Pilea cadierei)*. Le pilea possède
un beau feuillage vert et blanc argenté.
Utilisez un bon terreau pour l'empotage.
Une température normale et un bon
éclairage (pas de soleil) lui conviennent
bien. Gardez la terre modérément humide.
Habitat naturel: les régions tropicales
de l'Asie du Sud-est.

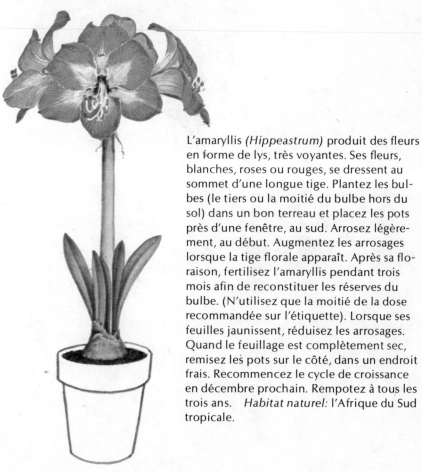

L'amaryllis *(Hippeastrum)* produit des fleurs en forme de lys, très voyantes. Ses fleurs, blanches, roses ou rouges, se dressent au sommet d'une longue tige. Plantez les bulbes (le tiers ou la moitié du bulbe hors du sol) dans un bon terreau et placez les pots près d'une fenêtre, au sud. Arrosez légèrement, au début. Augmentez les arrosages lorsque la tige florale apparaît. Après sa floraison, fertilisez l'amaryllis pendant trois mois afin de reconstituer les réserves du bulbe. (N'utilisez que la moitié de la dose recommandée sur l'étiquette). Lorsque ses feuilles jaunissent, réduisez les arrosages. Quand le feuillage est complètement sec, remisez les pots sur le côté, dans un endroit frais. Recommencez le cycle de croissance en décembre prochain. Rempotez à tous les trois ans. *Habitat naturel:* l'Afrique du Sud tropicale.

l'aphelandra

L'aphelandra *(Aphelandra),* quelquefois appelée plante zèbre, possède des feuilles aux veines blanches. A l'automne, elle produit des épis de fleurs jaune orange. Elle préfère un terreau humide et riche en humus. Un soleil tamisé lui convient parfaitement. En outre, l'aphelandra aime se sentir un peu à l'étroit dans son pot et demande une taille légère, de même qu'une période de repos après la floraison. *Habitat naturel:* le Brésil.

L'avocat *(Persea americana)* peut être obtenu à partir du noyau d'un avocat acheté au marché. Enlevez délicatement sa chair comestible et isolez le noyau; lavez-le et faites-le sécher. Remplissez un petit verre d'eau; piquez quatre cure-dents autour du noyau et appuyez-les sur les rebords du verre de façon à ce que la base du noyau (bout aplati) effleure la surface de l'eau. Lorsque les racines se forment, plantez le noyau dans de la terre à empoter. Lorsque quelques feuilles se seront formées, pincez l'extrémité de sa tige pour encourager la pousse de branches latérales. Placez la plante dans un endroit chaud et ensoleillé.

l'azalée

L'azalée *(Rhododendron)* est une plante ligneuse portant des fleurs roses, rouges ou blanches et offerte fréquemment en cadeau. Elle préfère les pièces fraîches et ensoleillées. Vaporisez ses feuilles quotidiennement avec de l'eau tiède pour accroître l'humidité; conservez le sol humide. Lorsque les fleurs sont fanées, appliquez un engrais acide, une fois par mois, jusqu'à l'été. Lorsque vous rempotez, utilisez un mélange de terre acide. Certaines variétés sont rustiques, spécialement celles à petites fleurs: elles peuvent être plantées à l'extérieur. *Habitat naturel:* les régions fraîches de l'hémisphère nord.

azalée kurume
R. obtusum

azalée des Indes
R. indicum

82

Helxine *(Helxine soleirolii)*. Plante rampante, elle est recouverte d'une abondance de petites feuilles vert brillant, sur de nombreuses branches entrecroisées. Cette plante demande un sol humide et chaud et beaucoup d'humidité. Une exposition à l'est ou à l'ouest, loin du rebord de la fenêtre, est préférable pour elle. L'helxine constitue un excellent couvre-sol pour un terrarium ou un jardin sous verre. *Habitat naturel:* les îles de la Corse et de la Sardaigne.

les bégonias

Les bégonias *(Begonia)* comprennent plus de 6,000 spécimens et variétés identifiés. La plupart sont originaires des forêts de l'Amérique centrale et de l'Amérique du Sud. Elles se divisent en trois grandes catégories: les tubéreux, les bégonias à rhizomes, et ceux à racines fibreuses. Cette dernière catégorie est la plus importante et comprend les variétés à feuilles luisantes, les ailes d'ange et celles à feuilles de type capillaire. Généralement, les bégonias poussent mieux dans une terre légère et riche en humus. Ils préfèrent un pot assez petit, de façon à ce que leurs racines puissent l'occuper entièrement. Laissez le sol sécher quelque peu entre les arrosages et évitez les variations brusques de température. Fertilisez-les une fois à toutes les trois semaines pour faire durer la floraison, mais diminuez la fertilisation durant l'hiver. Placez-les près d'une fenêtre orientée au sud, en ayant soin de les protéger contre les rayons intenses du soleil durant l'été. Les plants, devenus trop gros, peuvent être taillés et leurs boutures, utilisées pour obtenir de nouveaux plants.

bégonia tubéreux
B. tuberhybrida

bégonia à feuilles métalliques
B. metallica

bégonia rex
B. rex

« stitch-leaf » bégonia
B. boweri 'bow arriola'

bégonia multiflore
B. semperflorens

84

Le buis *(Buxus microphylla japonica)* est un arbuste à feuilles persistantes très populaire pour les jardins. Il supporte bien la culture en pot, à l'intérieur. Il préfère un sol poreux et bien drainé. Cet arbuste à croissance lente préfère les endroits frais et ensoleillés (mais sans soleil direct). Une fertilisation bisannuelle lui suffit.   *Habitat naturel:* l'Afrique du Nord et l'Europe méridionale.

l'edelweiss brésilien

L'edelweiss brésilien *(Rechsteinera leuco-tricha)* attire beaucoup l'attention par ses feuilles d'un beau gris laineux et ses fleurs tubulaires roses. On peut faire démarrer les tubercules dans un mélange de terre artificielle (disponible en magasin). Arrosez copieusement, mais laissez sécher entre les arrosages. L'edelweiss demande un endroit chaud et humide, de même qu'un soleil filtré. Fertilisez à toutes les trois ou quatre semaines lors de la période de croissance active. Cette plante fleurit presque continuellement (sauf durant une brève période de repos à l'automne).   *Habitat naturel:* les tropiques du Brésil.

les bromélies

Cryptanthus

Aechmea fasciata

Vriesea 'Mariae'

Les bromélies *(Bromeliaceae)* comprennent 1,800 espèces, apparentées à l'ananas. La plupart sont des épiphytes (plantes aériennes). Elles exigent relativement peu de soins. On doit constamment remplir d'eau les « coupes » formées par les feuilles. Empotez-les dans un pot peu profond contenant un mélange de tourbe, d'écorce broyée, d'humus et de sable, ou dans un terreau à orchidées. Fertilisez-les (avec la moitié de la dose habituelle) deux fois par année.

Les bromélies préfèrent une exposition à l'est ou à l'ouest, mais elles endurent bien une exposition au nord. Des vaporisations fréquentes maintiennent son feuillage propre. Les plantes adultes forment des épis de fleurs qui durent des mois. Pour encourager sa floraison, placez la plante avec une pomme mûre dans un sac de plastique pendant plusieurs jours. Le gas éthylène qui s'échappe de la pomme fait démarrer la floraison. *Habitat naturel:* les régions tropicales.

les cactus et les plantes grasses

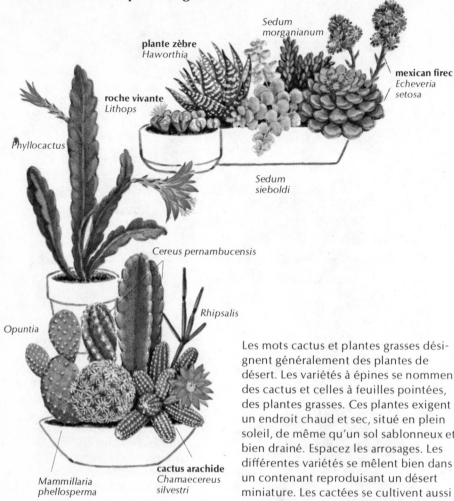

plante zèbre
Haworthia

Sedum
morganianum

mexican firec
Echeveria
setosa

roche vivante
Lithops

Phyllocactus

Sedum
sieboldi

Cereus pernambucensis

Rhipsalis

Opuntia

cactus arachide
Chamaecereus
silvestri

Mammillaria
phellosperma

Les mots cactus et plantes grasses dési-
gnent généralement des plantes de
désert. Les variétés à épines se nomment
des cactus et celles à feuilles pointées,
des plantes grasses. Ces plantes exigent
un endroit chaud et sec, situé en plein
soleil, de même qu'un sol sablonneux et
bien drainé. Espacez les arrosages. Les
différentes variétés se mêlent bien dans
un contenant reproduisant un désert
miniature. Les cactées se cultivent aussi
individuellement. Surveillez particulièrement les cochenilles. Enlevez celles-ci
avec de la ouate, imbibée d'alcool à friction, et répétez le traitement, au besoin.

Le caladium *(Caladium)* croît à partir d'un tubercule. On le cultive pour son magnifique feuillage coloré (vert, crème, rose, rouge et blanc), en forme de cœur. Ces plantes sont particulièrement sensibles aux courants d'air et aux brusques variations de température. Elles préfèrent les endroits chauds et bien éclairés (le soleil fait pâlir leurs feuilles).

Amorcez les tubercules à la fin de l'hiver ou au printemps. Le caladium se cultive comme le bégonia tubéreux. Plantez un tubercule dans du terreau riche en mousse de tourbe. Lorsque les pousses sortent de terre, augmentez l'éclairage et la fréquence des arrosages. Fertilisez une fois par mois. Le caladium conserve son feuillage durant de longs mois. Il est toutefois préférable de laisser reposer les tubercules pendant un mois, chaque année, en laissant sécher la plante. Rempotez et arrosez pour faire démarrer la plante à nouveau.   *Habitat naturel:* la plupart des régions tropicales de l'hémisphère occidental.

le camélia

Le camélia *(Camellia),* qui est un
arbuste à floraison printanière
dans le sud, donne une profusion
de belles fleurs aux tons blancs,
roses et rouges. Il préfère un
endroit frais: 60°F, 40°F la nuit
(15°C, 14.4°C la nuit). Utilisez un
engrais acide, une fois par mois,
lorsque les bourgeons se forment
et vaporisez le feuillage fréquemment. Le camélia préfère un sol
riche en mousse de tourbe.
Habitat naturel: l'Asie tropicale.

les queues de renard

Les queues de renard *(Acalypha hispida)*,
dont les fleurs ressemblent à des queues de
renard, possèdent de jolies feuilles vertes
veinées de blanc ou de marron, à pourtour
rouge. Placez-les dans un endroit chaud et
ensoleillé et gardez le sol constamment
humide. Les plantes taillées fortement au
printemps fleuriront tout l'été. Conservez
des retailles pour fin de bouturage.
Habitat naturel: l'Inde tropicale.

l'aglaonema

L'aglaonema *(Aglaonema modestum)* possède un
feuillage lustré et pousse à peu près partout. Il tolère
le manque de lumière et d'humidité. On peut le cultiver dans un bocal d'eau contenant du charbon
concassé ou dans un terreau riche en humus.
Habitat naturel: l'Asie du Sud-est.

Le cactus de Noël *(Schlumbergera bridgesii)* fleurit
au temps des Fêtes. Contrairement à la croyance
populaire, le sol doit être maintenu humide en
période de croissance (sec, durant la période de
repos). Placez ce cactus en plein soleil, à la température de la pièce. Pour fleurir, il a besoin d'une
période de jour bref. A partir du 1er septembre, donnez-lui des nuits (noirceur complète) de quatorze
heures (entre 6 heures du soir et 8 heures du matin)
jusqu'à la formation des bourgeons floraux. Si la
plante est placée dans une pièce froide (53°F)
(11.6°C), de la mi-septembre à la mi-octobre, des
bourgeons se formeront quelle que soit la durée du
jour. Un éclairage insuffisant durant le jour ou une
température trop élevée peuvent faire
tomber les bourgeons. Enfin une plante
similaire, le *Zygocactus truncactus,* fleurit en novembre.   *Habitat naturel:* les
marais tropicaux.

le piment de noël

Le piment de Noël *(Capsicum annuum conoides)*
produit des piments rouges, jaunes ou mauves, à la
fin de l'hiver. Le piment préfère les endroits frais et
très ensoleillés. Conservez le sol humide. Jetez la
plante lorsque les piments tombent, car elle est
annuelle. Ce piment de Noël appartient à la famille
des pommes de terre et du piment. *Habitat
naturel:* les régions tropicales.

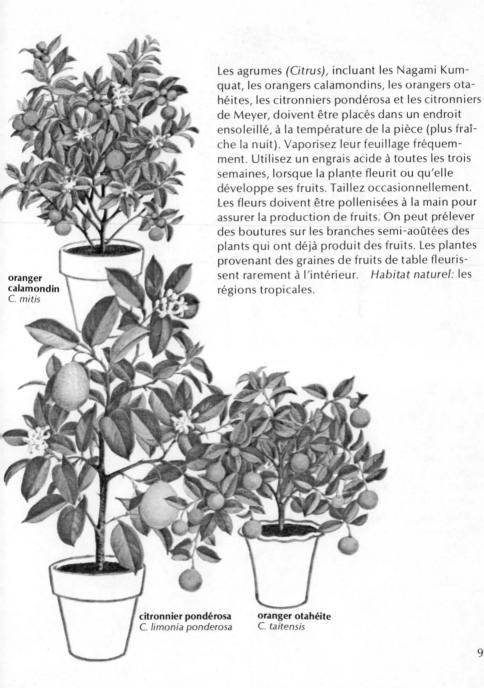

Les agrumes *(Citrus),* incluant les Nagami Kumquat, les orangers calamondins, les orangers otahéites, les citronniers pondérosa et les citronniers de Meyer, doivent être placés dans un endroit ensoleillé, à la température de la pièce (plus fraîche la nuit). Vaporisez leur feuillage fréquemment. Utilisez un engrais acide à toutes les trois semaines, lorsque la plante fleurit ou qu'elle développe ses fruits. Taillez occasionnellement. Les fleurs doivent être pollenisées à la main pour assurer la production de fruits. On peut prélever des boutures sur les branches semi-aoûtées des plants qui ont déjà produit des fruits. Les plantes provenant des graines de fruits de table fleurissent rarement à l'intérieur.   *Habitat naturel:* les régions tropicales.

oranger calamondin
C. mitis

citronnier pondérosa
C. limonia ponderosa

oranger otahéite
C. taitensis

le columnea

Le columnea *(Columnea)* inclut des variétés à rameaux retombants, idéales pour les pots suspendus. Le feuillage est velouté et couvert de capillosités violettes. La plante porte des fleurs rouges, orange ou jaunes, d'avril à novembre. Le columnea préfère les endroits ensoleillés et demande un sol humide et riche en humus.   *Habitat naturel:* les régions tropicales.

l'ardisia

L'ardisia *(Ardisia crispa)* se cultive surtout pour ses belles baies, rouges à l'automne. Il demande un endroit frais et ensoleillé et un terreau humide. Fertilisez durant la période de croissance active. Jetez la plante lorsque les baies tombent, car elle est annuelle. Plusieurs autres variétés d'Ardisia peuvent se cultiver à l'intérieur. *Habitat naturel:* les régions tropicales de Chine et de Malaisie.

97

les crotons

Les crotons *(Codiaeum)* comprennent plusieurs variétés au feuillage bizarre. A maturité, ces plantes ont un feuillage aux combinaisons de rouge, vert, rose, crème et jaune. Les feuilles sont ovales, elliptiques, « en feuilles de chêne » et quelquefois vrillées. Le croton préfère vivre dans un endroit chaud et ensoleillé et un sol constamment humide. Surveillez attentivement l'apparition possible des cochenilles. *Habitat naturel:* Ceylan et la Malaisie.

La couronne d'épines *(Euphorbia splendens),* aux petites feuilles et aux longues épines, a une apparence rébarbative. Elle préfère une exposition au sud (plein soleil) et un terreau sablonneux, enrichi d'humus. Alternez les arrosages copieux avec les périodes d'assèchement. L'hiver, elle produit des fleurs rouges au bout de ses branches. *Habitat naturel:* Madagascar.

le cyclamen

Le cyclamen *(Cyclamen persicum giganteum)* se couvre de grosses fleurs rouges, roses ou blanches. Il demande une température fraîche de 60° à 65°F (15° à 18°C), le jour et 50°F (10°C), la nuit. Une température trop élevée fait jaunir ses feuilles et tomber ses bourgeons floraux. Un manque de lumière produit les mêmes résultats. Le cyclamen préfère une fenêtre orientée au sud, mais il tolère l'exposition à l'est ou à l'ouest. Arrosez-le régulièrement, vaporisez-le fréquemment (ou placez-le dans un contenant rempli de gravier humide). Si des mites apparaissent, jetez la plante, car leur élimination est très ardue. *Habitat naturel:* les pays méditerranéens.

le dracaena

Le dracaena *(Dracaena)* possède un feuillage décoratif, aux formes multiples. De croissance lente, il tolère la lumière modérée (nord) et une faible humidité. Empotez dans un bon terreau, et maintenez-le humide par la suite. Les dracaena comprennent, en outre, le *D. marginata* aux feuilles longues et étroites, le *D. fragrans masangeana* (qui ressemble au maïs), le *D. deremensis warnecki* aux longues feuilles minces striées de blanc et le *D. sanderiana,* formant une petite plante. *Habitat naturel:* l'Afrique tropicale.

dracaena « poussière d'or »
D. godseffiana

le dieffenbachia

Le dieffenbachia *(Dieffenbachia)* possède de larges feuilles, tachetées de blanc. Il tolère un éclairage modéré et une faible humidité, mais il préfère avoir un peu plus des deux. Des arrosages surabondants font pourrir ses racines et ses tiges. Cette plante est toxique et provoque une douloureuse enflure de la langue, si on en mâche les feuilles.   *Habitat naturel:* les tropiques de l'Amérique du Sud.

le lierre anglais

Le lierre anglais *(Hedera helix)* préfère vivre dans un endroit ensoleillé et humide. Une température fraîche et de fréquentes vaporisations l'avantagent. Une douche hebdomadaire prévient l'apparition des araignées rouges. Pincez ses pousses fréquemment afin de maintenir l'équilibre de leur forme. Il existe en plusieurs variétés aux feuillages curieux ou encore striés de blanc. *Habitat naturel:* l'Afrique du Nord et l'Asie de l'Est.

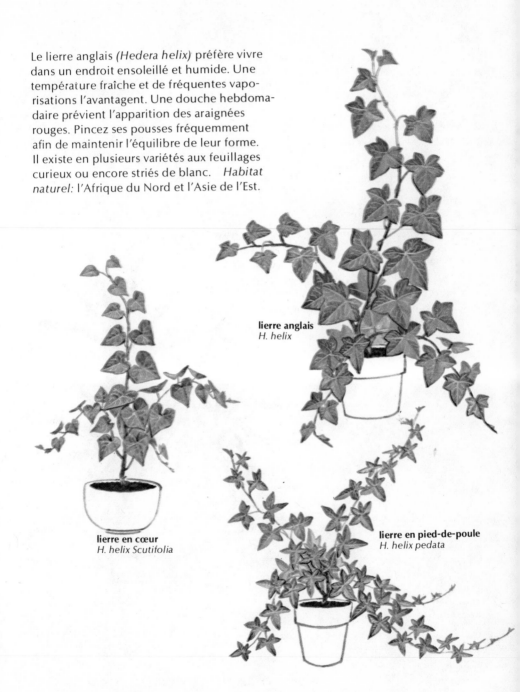

lierre anglais
H. helix

lierre en cœur
H. helix Scutifolia

lierre en pied-de-poule
H. helix pedata

la fausse aralie

La fausse aralie *(Sizygotheca elegantissima)* possède des feuilles longues et dentelées, à texture plumeuse. Elle demande une lumière abondante sans soleil direct. Elle préfère les endroits frais (60° à 70°F) (15° à 21°C). Laissez sécher le sol entre chaque arrosage. Les plantes adultes s'adaptent mal à la faible humidité de nos maisons. *Habitat naturel:* les Nouvelles-Hébrides du Pacifique Sud.

le fatshedera

Le fatshedera *(Fatshedera lizei)* provient d'un croisement entre le fatsia et le lierre anglais. Ses tiges ont quelquefois besoin d'un support. Cette plante préfère une exposition à l'est ou à l'ouest ainsi qu'une température fraîche (50° à 70°F) (10° à 21°C). Une variété de cette plante hybride, le *F. lizei variegata,* possède un feuillage offrant un beau contraste: vert foncé et blanc.

le fatsia

Le fatsia *(Fatsia japonica)* possède un joli
feuillage ressemblant aux feuilles d'érable. Il préfère une exposition à l'est ou à
l'ouest et un sol constamment humide.
Fertilisez-le chaque mois et placez-le
dans un endroit frais.   *Habitat naturel:*
le Japon.

les fougères

Les fougères *(Polypodiaceae)* les plus recommandées pour la culture d'intérieur sont: la fougère de
Boston *(Nephrolepsis)* le Polypode à feuilles communes *(Polypodium)*, les fougères à feuilles paires
(Pleris), nid d'oiseau *(Asplenium nidus)*, « Maidenhair » *(Adiantum)* et Pattes de lapins *(Davallia)*. Elles
demandent beaucoup d'humidité, une lumière
abondante (sans soleil direct) et des arrosages
copieux et fréquents. Elles exigent aussi un terreau
poreux ou fibreux, bien drainé. Les petites protubé-
rances brunes sous les feuilles contiennent des
spores qui servent à leur reproduction.

**pattes
de lapins**
Davallia

fougère nid d'oiseau
Asplenium nidus

**fougère
de Boston**
Nephrolepsis

**fougère
à feuilles
paires**
Pleris

fougère « Maidenhair »
Adiantum

les figuiers

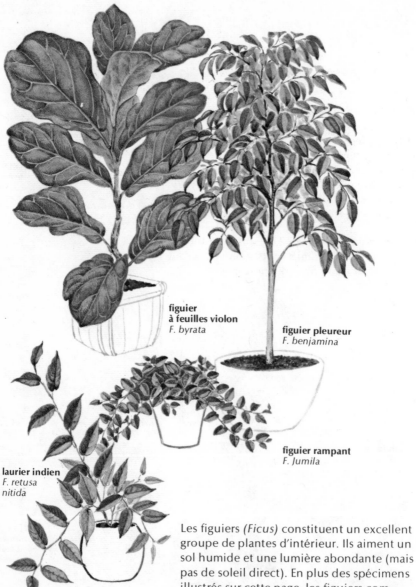

**figuier
à feuilles violon**
F. byrata

figuier pleureur
F. benjamina

figuier rampant
F. Jumila

laurier indien
*F. retusa
nitida*

Les figuiers *(Ficus)* constituent un excellent groupe de plantes d'intérieur. Ils aiment un sol humide et une lumière abondante (mais pas de soleil direct). En plus des spécimens illustrés sur cette page, les figuiers comprennent aussi le caoutchouc (p. 117) et le *Ficus carica,* un arbre semi-tropical, cultivé pour ses fruits (il produit à l'extérieur seulement).

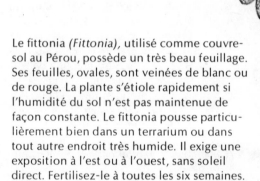

Le fittonia *(Fittonia),* utilisé comme couvre-
sol au Pérou, possède un très beau feuillage.
Ses feuilles, ovales, sont veinées de blanc ou
de rouge. La plante s'étiole rapidement si
l'humidité du sol n'est pas maintenue de
façon constante. Le fittonia pousse particulièrement bien dans un terrarium ou dans
tout autre endroit très humide. Il exige une
exposition à l'est ou à l'ouest, sans soleil
direct. Fertilisez-le à toutes les six semaines.

la violette flamboyante

La violette flamboyante *(Episcia)* attire l'attention par son feuillage et ses fleurs vermillon. Elle se cultive à peu près de la même manière que la violette africaine. Elle demande une température chaude (ses feuilles noircissent lorsque la température descend au-dessous de 55°F (13.8°C)). Pour obtenir une belle floraison, empotez-la dans un sol léger, riche en humus et maintenu humide. Vaporisez souvent les feuilles. Il existe plusieurs variétés aux feuillages différents. L'une des variétés possède de petites feuilles et de grosses fleurs blanches. *Habitat naturel:* l'Amérique tropicale.

l'érable florifère

L'érable florifère *(Abutilon)* possède des feuilles bicolores ressemblant à celles de l'Érable. Il produit des fleurs retombantes blanches, jaunes, abricot, roses ou rouges, par intermittence. Il préfère un endroit bien éclairé, un sol humide puis un peu plus sec en hiver. Pincez les pousses nouvelles pour encourager la formation de branches latérales. Taillez les plantes adultes, chaque hiver, pour leur conserver une belle apparence. *Habitat naturel:* l'Amérique du Sud.

111

les fuchsias

Les fuchsias *(Fuchsia),* souvent appelés boucles d'oreilles, incluent plusieurs variétés aux magnifiques fleurs blanches, roses, rouges, bleues ou fuchsia, en forme de cloche. Ces plantes fleurissent mieux dans un endroit ensoleillé et bien ventilé. Fertilisez-les à toutes les deux semaines lorsqu'elles sont en fleurs et taillez-les pour les maintenir compactes. Diminuez sensiblement vos arrosages durant leur période de repos hivernale. Les fuchsias conviennent spécialement bien aux jardinières suspendues.   *Habitat naturel:* l'Amérique tropicale.

Les gardénias *(Gardenia)* produisent des feuilles d'un beau vert foncé. Des fleurs blanches, odorantes, y apparaissent presque continuellement durant l'année. Ils préfèrent un endroit ensoleillé, mais ils doivent cependant être protégés du chaud soleil d'été. Une température normale leur convient. A la formation des bourgeons floraux, abaissez la température ambiante de dix degrés F (de quatre degrés C) durant la nuit, sans quoi les bourgeons risquent de tomber. Appliquez un engrais acide contenant du fer (un manque de fer fait jaunir le feuillage), à toutes les trois ou quatre semaines, lorsque les bourgeons se développent. Maintenez le sol humide et vaporisez le feuillage fréquemment.   *Habitat naturel:* les régions tropicales.

les géraniums

Les géraniums *(Pelargonium)* vivent bien dans un
sol argileux (deux parties d'argile pour une partie de
sable et une partie d'humus). Un sol trop riche en
azote encourage la croissance des feuilles, mais au
détriment des fleurs. Une fertilisation trop abondante donne les mêmes résultats. Placez la plante en
plein soleil et laissez sécher la terre entre les arrosages. Des arrosages trop copieux font jaunir les
feuilles. Le géranium fleurit durant presque toute
l'année si l'on prend soin d'abaisser la température,
la nuit.   *Habitat naturel:* les régions semi-arides de
l'Afrique du Sud.

le gloxinia

Le gloxinia *(Sinningia speciosa)* est cultivé pour ses spectaculaires fleurs rouges, blanches ou bleues, en forme de trompette. Les pétales sont souvent tachetés de blanc. Plantez ses tubercules en février, dans un mélange de terreau sans terre. Pour fleurir, ils demandent un endroit ensoleillé (soleil tamisé) et un fort degré d'humidité. Vaporisez les feuilles fréquemment et évitez les changements brusques de température. Après la floraison, continuez à les arroser jusqu'à ce que les feuilles se fanent. Réduisez alors graduellement vos arrosages et entreposez les tubercules dormants. Rempotez-les au mois de février suivant; fertilisez-les toutes les deux semaines. *Habitat naturel:* le Brésil tropical.

le lierre vigniforme

Le lierre vigniforme *(Cissus rhombifolia)* endure bien une mauvaise lumière et des soins négligents. Maintenez le sol humide et pincez les nouvelles pousses afin de leur conserver une forme compacte. Ce lierre aux feuilles trilobées s'accroche aux objets au moyen de vrilles.   *Habitat naturel:* les Antilles et l'Amérique tropicale.

le caoutchouc indien

Le caoutchouc *(Ficus elastica)* constitue une excellente plante ligneuse d'intérieur. Il préfère l'exposition à l'est ou à l'ouest. Utilisez un bon terreau, maintenu humide. Nettoyez les feuilles, avec de l'eau claire, de temps en temps.
Habitat naturel: les forêts tropicales.

le crassula

Le crassula *(Crassula argentea)* possède des branches et des feuilles charnues. Il demande environ six heures de soleil par jour (le manque de soleil est la principale cause d'échec). Cette plante préfère un sol sablonneux et riche en humus. Arrosez parcimonieusement. *Habitat naturel:* l'Afrique du Sud.

le cerisier de jérusalem

Le cerisier de Jérusalem *(Solanum pseu-docassicum)* est populaire pendant la période des Fêtes à cause de ses baies (toxiques). Placez-le dans une pièce ensoleillée et laissez sécher un peu la terre entre les arrosages. Cette plante annuelle doit être jetée lorsque ses fruits sont tombés.   *Habitat naturel:* l'île de Madère.

le lys kafir

Le lys Kafir (*Clivia miniata*) porte des fleurs d'une beauté exceptionnelle. Seules les plantes adultes (vieilles de plusieurs années) fleurissent. Des fleurs orange, écarlates ou saumon, en forme de trompette, y apparaissent au printemps. Le lys Kafir exige un gros pot, enrichi de farine d'os moulus (bone meal), un endroit partiellement ensoleillé et une température fraîche (de 55° à 65°F) (de 10° à 18°C). Arrosez-le très peu en hiver et ne le changez pas de pot car le lys Kafir aime se sentir à l'étroit. *Habitat naturel:* l'Afrique du Sud.

les kalanchoes

Les Kalanchoes *(Kalanchoe)* comprennent de nombreuses plantes grasses d'aspect curieux, entre autres: la variété *(K. pinnata)* et le Panda duveteux *(K. tomentosa)* aux feuilles duveteuses. Donnez-leur beaucoup de soleil. Le manque de soleil produit chez ces plantes une croissance anémique. Le kalanchoe aime une température fraîche et des arrosages copieux, mais espacés. Il fleurit en décembre si l'on prend soin de lui procurer des nuits longues (noirceur complète) en septembre (18 heures à 7 heures). *Habitat naturel:* Madagascar et l'Afrique tropicale.

Plante porte-bonheur
K. daigremontiana

K. pinnata

Kalanchoe de Noël
K. blossfeldiana

Panda duveteux
K. tomentosa

le cissus

Le cissus *(Cissus antartica)* est une plante grimpante aux feuilles larges, de la famille du lierre vigniforme. Il croît bien partout, avec ou sans soleil. Cette plante aime les terreaux humides. *Habitat naturel:* les tropiques.

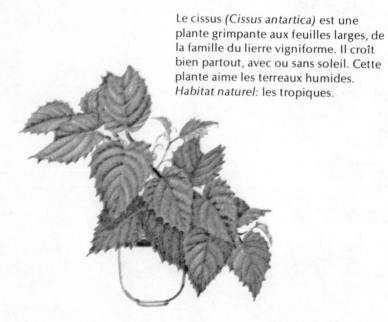

le kohleria

Le kohleria *(Kohleria)* produit de nombreuses fleurs
tubulaires tachetées, aux teintes rouges, orange et
roses. Ses fleurs se dressent au bout de longues
tiges. Plantez les tubercules dans un terreau sans
terre, maintenu humide. Cette plante préfère les
endroits partiellement ensoleillés. Lorsque la plante
commence à s'étioler, coupez-la à ras de terre et
laissez sécher le sol pendant plusieurs semaines.
Recommencez les arrosages et fertilisez la plante à
toutes les trois ou quatre semaines pour l'amorcer
de nouveau.   *Habitat naturel:* l'Amérique tropicale.

l'eschynanthe

L'eschynanthe *(Aeschynanthus lobbianus)* porte un feuillage foncé aux feuilles luisantes, éclairé par des grappes de fleurs tubulaires, rouges ou orange. La plante fleurit durant presque toute l'année. Placez-la dans un endroit ensoleillé, chaud et humide. Taillez les tiges retombantes après la floraison. L'eschynanthe préfère le terreau composé de trois parties égales de vermiculite, d'humus et de perlite. Fertilisation: à toutes les trois semaines. *Habitat naturel:* l'Asie mineure.

Le rhoeo *(Rhoeo-spathacea)* tire son nom des fleurs qui apparaissent au creux de ses longues feuilles à quelques reprises durant l'année. De culture facile, cette plante tolère bien une exposition au nord ou à l'est et une température normale. Utilisez un bon terreau, maintenu humide. *Habitat naturel:* le Mexique.

les myrtilles

Les myrtilles *(Myrthus)* se cultivent très bien en pot. Ces petits arbustes aiment les endroits ensoleillés et frais. Arrosez-les copieusement, mais laissez le sol sécher entre les arrosages. Il faut aussi les tailler pour leur conserver une forme compacte. Les myrtilles peuvent fleurir, lorsque les conditions sont idéales. De croissance lente, ces arbustes exigent peu ou pas d'engrais.   *Habitat naturel:* les pays méditerranéens.

Les nautilocalyx *(Nautilocalyx)* comprennent plusieurs espèces au feuillage voyant. Ils préfèrent les
endroits chauds, humides et ensoleillés. Plantez-les
dans le terreau sans terre recommandé pour le
gloxinia. *Habitat naturel:* le Pérou.

le pin de norfolk

Le pin de Norfolk *(Araucaria excelsa)* appartient au groupe des conifères, mais il n'est pas un véritable pin. On peut le cultiver en pot lorsqu'il est jeune. Cet arbre aime les sols humides. Il supporte bien un environnement un peu sec, mais il exige un bon éclairage. *Habitat naturel:* l'île de Norfolk (Nouvelle-Zélande).

les orchidées

Les orchidées *(Orchidaceae)* englobent des milliers de variétés et de races hybrides. Plusieurs se cultivent à l'intérieur, si on leur fournit suffisamment de soleil et d'humidité. Elles exigent un terreau très léger et retenant beaucoup d'humidité, tels les débris d'écorce d'osmonde. Quelques orchidées préfèrent une température fraîche, d'autres, chaude. Ces plantes fleurissent pendant un mois ou plus, puis entrent dans une longue période de repos. Plusieurs s'adaptent bien à l'éclairage fluorescent. Voici quelques-unes des variétés les plus faciles à cultiver: *Cattleya, Epidendrum, Oncidium* et *Phalaenopsis*.

Epidendrum radicans

Dendrobium nobile

orchidée papillon *Phalaenopsis amabilis*

Cattleya

orchidée pensée *Miltonia*

l'oxalis

L'oxalis *(oxalis)* ressemble étrangement au trèfle à quatre feuilles. Ses feuilles et ses fleurs se ferment la nuit. La floraison dure plus longtemps lorsque la plante est placée dans un endroit frais et ensoleillé. Plantez les bulbes dans un terreau composé de deux parties d'argile pour une de sable et une d'humus. Arrosez le sol copieusement, mais laissez sécher entre les arrosages. Fertilisez la plante tous les mois lorsqu'elle fleurit. Diminuez graduellement les arrosages lorsque la floraison est terminée (la plante entre alors en état de repos). Rempotez lorsque les bulbes deviennent trop encombrés.   *Habitat naturel:* les régions chaudes ou tropicales.

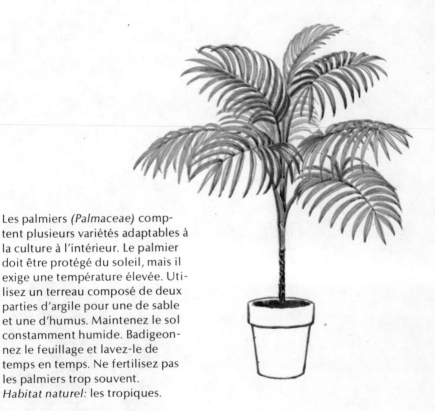

Les palmiers *(Palmaceae)* comptent plusieurs variétés adaptables à la culture à l'intérieur. Le palmier doit être protégé du soleil, mais il exige une température élevée. Utilisez un terreau composé de deux parties d'argile pour une de sable et une d'humus. Maintenez le sol constamment humide. Badigeonnez le feuillage et lavez-le de temps en temps. Ne fertilisez pas les palmiers trop souvent.
Habitat naturel: les tropiques.

le calathea

Le calathea *(Calathea makoyana)* porte un feuillage hautement décoratif. Il demande un sol humide et un endroit chaud. Vaporisez souvent le feuillage. Évitez le soleil direct, mais donnez-lui de la lumière. *Habitat naturel:* les tropiques du Brésil.

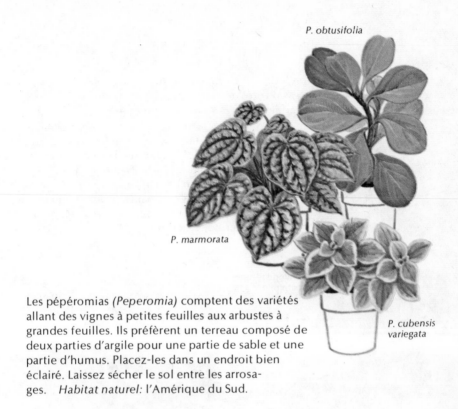

P. obtusifolia

P. marmorata

P. cubensis variegata

Les pépéromias *(Peperomia)* comptent des variétés allant des vignes à petites feuilles aux arbustes à grandes feuilles. Ils préfèrent un terreau composé de deux parties d'argile pour une partie de sable et une partie d'humus. Placez-les dans un endroit bien éclairé. Laissez sécher le sol entre les arrosages. *Habitat naturel:* l'Amérique du Sud.

le philodendron

Le philodendron *(Philodendron)* constitue l'une des plus grosses plantes de maison. Certains se dressent, d'autres sont grimpants. Tous possèdent un feuillage attrayant. Ils préfèrent la lumière filtrée et un sol riche en humus. Le manque de lumière amène la plante à produire des feuilles de plus en plus petites. Maintenez le sol également humide et fertilisez-le deux ou trois fois par année. Taillez les philodendrons grimpants occasionnellement (juste en haut d'une feuille). *Habitat naturel:* l'Amérique tropicale.

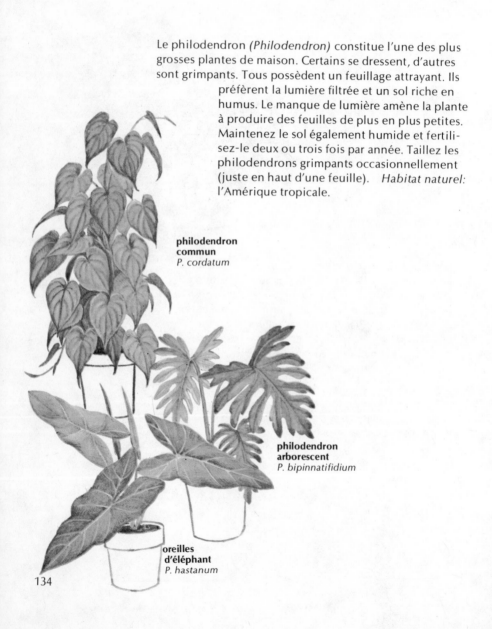

philodendron commun
P. cordatum

philodendron arborescent
P. bipinnatifidium

oreilles d'éléphant
P. hastanum

Le tolmiea *(Tolmiea menziesii)* possède des feuilles quelque peu duveteuses. Les petits rejetons à la base des feuilles peuvent servir à amorcer de nouveaux plants. Plantez-les dans un bon terreau, maintenu humide. Attention aux cochenilles!   *Habitat naturel:* la Côte ouest de l'Amérique du Nord.

le pittosporum

Le pittosporum (*Pittosporum tobira*) est un arbre tropical aux feuilles épaisses et luisantes. Il préfère une température très fraîche (de 50° à 55°F) (de 10° à 12.7°C). Placez-le au soleil et gardez la terre quelque peu sèche. Taillez-le souvent pour maintenir une croissance équilibrée et fertilisez-le deux fois l'an.

le poinsettia

Le poinsettia *(Euphorbia pulcherrima)* attire particulièrement l'attention lorsque ses bractées rouges apparaissent, vers le temps de Noël. Ses bractées ne sont pas des fleurs, mais bien des feuilles. Ses vraies fleurs, en forme de grains, se situent au centre des bractées. La floraison dure plus longtemps lorsqu'on place la plante au soleil, à l'abri des courants d'air. Arrosez-le bien. Après la floraison, le poinsettia perd plusieurs feuilles et devient moins attrayant. Comme il est plutôt difficile à faire refleurir, plusieurs personnes préfèrent le jeter après sa floraison. Toutefois si vous désirez le garder, maintenez vos arrosages après la floraison. Taillez-le beaucoup, au printemps, et plantez-le en pleine terre, à l'été. Ramenez-le à l'intérieur vers le 1er septembre. Du début d'octobre à la fin de novembre, assurez-lui des nuits longues (noirceur complète de 17 heures à 8 heures) pour permettre la formation des bractées. *Habitat naturel:* le Mexique.

le polyscias

Le polyscias *(Polyscias)* possède une tige ligneuse garnie de feuilles attrayantes et quelque fois marquées de stries blanches, grises ou vert pâle. Le polyscias exige de l'air pur et un endroit chaud et ensoleillé. Gardez le sol humide. *Habitat naturel:* les îles du Pacifique Sud.

le pothos

Le pothos *(Scindapsus)* ressemble au philodendron sauf que ses feuilles sont plus pâles et, la plupart du temps, striées. Il s'adapte fort bien aux endroits secs et peu éclairés. Arrosez-le très copieusement, mais laissez le sol sécher entre les arrosages. Le pothos grimpe facilement sur une planche non écorcée. Des douches d'eau tiède lui assurent un feuillage propre et une bonne croissance. *Habitat naturel:* l'Asie orientale.

la plante religieuse

La plante religieuse *(Maranta leuconeura kerchoveana)* tire son nom du fait que ses feuilles se groupent ensemble, la nuit, comme les mains d'une religieuse en prière. Placez-la dans un endroit partiellement ombragé et maintenez le sol humide. Vaporisez fréquemment le feuillage afin de maintenir un fort degré d'humidité. Quelques autres variétés de maranta se cultivent comme plantes de maison. Elles préfèrent le terreau enrichi d'humus ou de compost. *Habitat naturel:* les forêts tropicales du Brésil.

le pandanus

Le pandanus *(Pandanus)* n'est pas un vrai pin. Il produit de longues feuilles aux bordures en dents de scie. Il préfère le terreau argileux, bien drainé. Placez-le dans un endroit chaud exposé à la lumière de l'est ou de l'ouest. Laissez le sol sécher entre les arrosages et rempotez-le lorsque ses racines emplissent complètement le pot.   *Habitat naturel:* la Malaisie.

la beloperone

La beloperone *(Beloperone gut-
tata)* porte des bractées orange
retombantes, terminées par de
petites fleurs blanches durant l'été
et l'automne. Cette plante ligneuse
doit être pincée souvent pour croître en demeurant compacte. Elle
nécessite un endroit très ensoleillé
et supporte bien la température
ordinaire d'une pièce. Arrosez-la
fréquemment.   *Habitat naturel:* le
Mexique.

le houx de singapour

Le houx de Singapour *(Malpighia cocci-gera)* porte des feuilles petites, luisantes et arrondies, qui le font ressembler au buis. Quelques feuilles adultes développent des épines rappelant celles du houx. Il produit, par intermittence, de petites fleurs rose pâle. Une lumière abondante et une température normale lui conviennent bien. Laissez sécher le sol entre les arrosages. Dans les régions tropicales, on utilise beaucoup cette plante pour en faire des haies parfaitement symétriques. Ne le fertilisez pas trop. *Habitat naturel:* les Antilles.

le sinningia

Le sinningia *(Sinningia pusilla)* représente l'une des plus petites plantes d'intérieur. Il pousse même dans une petite tasse ou un verre à cognac. Ses fleurs sont aussi très petites. Il préfère les endroits ensoleillés et très humides. Utilisez un terreau sans terre pour de meilleurs résultats. Des hybrides tubéreux de grande taille peuvent se cultiver aussi.   *Habitat naturel:* les tropiques du Brésil.

les langues de belle-mère

Langues de belle-mère *(Sansevieria)*. Ces anciennes plantes favorites résistent à des soins négligents, au manque de lumière et poussent même dans un sol sec. Les plantes adultes, placées en plein soleil, produisent souvent des épis de fleurs blanches. *Habitat naturel:* l'Afrique.

S. hahnii

S. trifasciata

l'if méridional

L'if méridional *(Podocarpus)* pousse à l'extérieur dans les états du Sud des États-Unis, mais il doit être cultivé à l'intérieur, si on est plus au Nord. Il préfère les endroits très frais (de 50° à 55°F) (de 10° à 12.7°C) et l'éclairage indirect. Taillez-le souvent et maintenez le sol humide.

le prêcheur

Le prêcheur *(Spathiphyllum),* au beau feuillage vert luisant, produit quelquefois d'étranges fleurs blanches. Évitez le soleil direct qui fait enrouler ses feuilles. Cette plante préfère vivre dans un endroit chaud, sous un éclairage filtré. Maintenez le sol humide. *Habitat naturel:* l'Afrique centrale.

la plante araignée

La plante araignée *(Chlorophytum)* tire son nom du fait qu'elle produit, à maturité, de longs fils au bout desquels poussent de nouvelles plantes. Cette plante retombante populaire aime la lumière abondante, mais indirecte. Maintenez le sol humide et fertilisez-la une fois par mois.   *Habitat naturel:* l'Afrique du Sud.

le géranium fraisier

Le géranium fraisier *(Saxifraga sarmentosa)* n'est ni un géranium ni un fraisier quoiqu'il possède le même mode de reproduction, c'est-à-dire qu'il produit de longs courants au bout desquels poussent de nouvelles plantes. (Elles peuvent être plantées en terre puis séparées de la plante-mère lorsqu'elles sont enracinées). Le feuillage est attrayant et de petites fleurs blanches apparaissent par intermittence. Cette plante aime bien les endroits frais, ensoleillés et humides. Ne la fertilisez pas trop.
Habitat naturel: la Chine et le Japon.

le streptocarpe

Le streptocarpe *(Stroptocarpus)*, aussi appelé « primrose du Cap », provient du Cap de Bonne Espérance, en Afrique du Sud. Le streptocarpe a l'air plutôt penaud avec ses longues feuilles affalées. Toutefois ses fleurs bleues, violettes ou blanches sont d'une beauté incomparable. Il aime les fenêtres orientées à l'est, à l'ouest ou au sud et exige un sol humide. Il croît généralement à partir de graines. Semé en hiver, le streptocarpe fleurira l'hiver suivant pendant plusieurs mois, après quoi il entrera dans une longue période de repos. Arrosez et fertilisez pour réactiver sa croissance.

L'osmanthe (*Osmanthus fragrans*) est un arbre à feuillage persistant pouvant se cultiver à l'intérieur lorsqu'il est encore jeune. Son feuillage foncé et luisant contraste avec ses fleurs blanches odorantes, produites à l'année longue. Placez-le dans un endroit ensoleillé et frais. L'osmanthe aime les terreaux argileux et bien drainés. Fertilisez-le tous les mois et maintenez le sol humide.

le monstera

Le monstera *(Monstera deliciosa)* possède des feuilles échancrées et percées
de trous. Cette plante supporte une
mauvaise lumière, mais un manque
d'humidité en retarde la croissance. Gardez le feuillage propre en le lavant avec
une éponge et de l'eau tiède. Arrosez
copieusement une fois par semaine ou
même plus si nécessaire.   *Habitat naturel:* le Mexique tropical.

le syngonium

Le syngonium *(Syngonium)* possède un beau feuillage vert et blanc. Certains portent des feuilles en forme de pointe, de flèches et d'autres sont trilobées. Le syngonium s'adapte bien à une mauvaise lumière. Il préfère un sol riche en humus, maintenu humide.   *Habitat naturel:* l'Amérique centrale.

les cloches du temple

Les cloches du temple *(Smithiantha)*
attirent l'attention par leur beau
feuillage velouté et leurs fleurs en forme
de cloche. Elles fleurissent depuis la fin de
l'été jusqu'à la mi-hiver. Ces plantes croissent à partir d'un
rhizome. Elles exigent beaucoup d'humidité et préfèrent
le terreau sans terre, modérément fertilisé. Placez-les dans
un endroit où le soleil est filtré. Après la floraison, laissez
reposer les rhizomes en supprimant les arrosages jusqu'à
ce que le sol ne soit que très légèrement humide. Plusieurs autres variétés, aux fleurs voyantes, sont maintenant
disponibles. *Habitat naturel:* les tropiques du Guatémala
et du Mexique.

la plante « ti »

La plante « Ti » *(Cordyline terminalis)* porte un riche feuillage, aux teintes marron, rouges, roses, vert foncé ou bigarrées, croissant en spirale autour de la tige. Des sections de tige de un ou deux pouces (de 2.55 ou 5.1 centimètres) s'enracinent très vite dans du sable humide. Placez cette plante dans un endroit exposé à la lumière de l'est ou de l'ouest et maintenez le sol humide. *Habitat naturel:* les îles du Pacifique Sud.

la plante parapluie

La plante parapluie *(Cyperus alternifolius)* tire son nom du fait que ses feuilles, juchées au sommet de longues tiges, rappellent la forme d'un parapluie. Apparentée au *Papyrus* égyptien, cette plante exige un terreau humide. Placez aussi une soucoupe remplie d'eau sous le pot. Elle préfère vivre dans un endroit ensoleillé et frais. Il existe aussi une variété miniature de *Cyperus.* *Habitat naturel:* les Marais de Madagascar.

le schefflera

Le schefflera *(Brassaia acti-
nophylla)* croît rapidement et
devient une belle plante hautement décorative. Il préfère les
endroits ensoleillés, mais il tolère
un peu d'ombre. Laissez le sol
sécher entre les arrosages. L'excès
ou le manque d'eau fait tomber ses
feuilles. Nettoyez fréquemment le
feuillage.   *Habitat naturel:* l'Australie.

le gynura

Le gynura *(Gynura aurantiaca)* produit de belles feuilles pourpres,
veloutées, portant occasionnellement de belles grappes de fleurs
orange. Il requiert un endroit ensoleillé et un terreau riche en humus.
Maintenez le sol humide et ne le
fertilisez pas trop.   *Habitat
naturel:* Java.

le tradescantia

Le tradescantia *(Tradescantia)* convient particulièrement bien aux jardinières suspendues. De culture
facile, cette plante tropicale croît également bien
dans un bon terreau ou dans un contenant rempli
d'eau et de fragments de charbon. Donnez-lui de la
chaleur et un éclairage indirect.

l'hoya

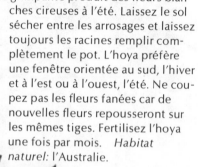

L'hoya *(Hoya)* comprend plusieurs variétés aux feuillages variés; quelques-uns sont bigarrés. Cette excellente plante grimpante produit des fleurs blanches cireuses à l'été. Laissez le sol sécher entre les arrosages et laissez toujours les racines remplir complètement le pot. L'hoya préfère une fenêtre orientée au sud, l'hiver et à l'est ou à l'ouest, l'été. Ne coupez pas les fleurs fanées car de nouvelles fleurs repousseront sur les mêmes tiges. Fertilisez l'hoya une fois par mois. *Habitat naturel:* l'Australie.

plantes peu communes

l'anthurium

(*Anthurium*). On la cultive pour son feuillage rouge, rose ou vert veiné de blanc, en forme de cœur. Les feuilles vont de moins de un pied (30.6 centimètres) à plusieurs pieds de long (quelques mètres). En outre, l'anthurium produit une fleur curieuse à queues retombantes. Cette plante exotique provient des forêts denses de l'Amérique centrale dont le climat est difficile à produire à la maison. Cultivez-la plutôt en serre.

Empotez l'anthurium dans un terreau fibreux ou de la mousse de sphaigne. Maintenez le sol et l'air ambiant constamment humides. Fertilisez-les une fois par mois avec un engrais soluble. Donnez-lui de la chaleur: jamais moins de 55°F (12.7°C). *Habitat naturel:* les forêts de l'Amérique centrale.

l'asparagus

(*Asparagus*). Cette variété n'est aucunement parente avec la fougère et ses feuilles plumeuses ne sont pas de vraies feuilles (la variété *sprengeri* ne possède que des épines). Ces plantes conviennent à merveille aux paniers suspendus. .

Elles préfèrent une lumière abondante (sans soleil

161

direct) et un terreau enrichi de mousse de tourbe. Tournez-les chaque semaine pour obtenir une croissance égale. Arrosez abondamment, mais laissez le sol sécher quelque peu entre les arrosages. Si les conditions sont idéales, la plante produira de petites fleurs roses, suivies de baies rouges. (Plantez-les pour amorcer de nouveaux plants). *Habitat naturel:* l'Afrique du Sud.

la lachenalia

(*Lachenalia*). On la cultive à partir d'un bulbe. Des fleurs, en forme de cloche, pendent d'un long épi. Plantez les bulbes à l'automne dans un bon terreau (trois ou quatre par pot de 4 pouces (10.2 centimètres)). Gardez légèrement humide. Lorsque les tiges apparaissent, arrosez-les régulièrement et placez les pots au soleil. Après la floraison, lorsque les feuilles jaunissent, arrêtez progressivement vos arrosages et entreposez les bulbes dans un endroit frais. Amorcez-les de nouveau l'automne suivant.

le carissa

(*Carissa*). Arbuste natif de l'Afrique du Sud, aux feuilles ovales, il produit par intermittence des fleurs étoilées (odorantes), suivies de petites baies rouges. Le carissa exige un bon sol, une température fraîche et une exposition à l'est ou à l'ouest. Arrosez bien en laissant la terre sécher entre les arrosages. Taillez-le pour garder sa forme compacte.

la crossandra

(*Crossandra*). Jolie plante à floraison estivale. Les feuilles sont longues et ovales et les fleurs, tubulaires, sont colorées de rouge. On nomme quelquefois cette plante « feu d'artifice ». Elle aime le bon terreau, maintenu humide, une lumière abondante et une température chaude. Protégez-la des courants d'air et ne la fertilisez pas trop. *Habitat naturel:* les Indes et Ceylan.

la dipladenia

(Dipladenia). Ses fleurs en forme d'entonnoir ressemblent aux pétunias. Cette plante ligneuse, au feuillage luisant, pousse vigoureusement si on lui fournit une lumière abondante. Elle préfère le terreau enrichi de mousse de tourbe ou de compost bien décomposé. Si les conditions de culture s'avèrent idéales, le dipladenia fleurira presque toute l'année. Fertilisez régulièrement durant la période de croissance active (à toutes les trois semaines). *Habitat naturel:* les régions tropicales de l'Amérique du Sud.

le lierre allemand

(Senecio mikanioides). Cette plante redevient populaire depuis quelques années. Ses feuilles ressemblent à celles du vrai lierre *(Hedera),* mais elles sont de texture différente et de couleur plus pâle: l'idéal pour les paniers suspendus. Placez-la au soleil durant l'hiver, mais protégez-la du chaud soleil d'été. Le lierre allemand aime le bon terreau humide et une température fraîche. Fertilisez-le toutes les quatre à six semaines et taillez-le pour lui garder une forme compacte. *Habitat naturel:* l'Afrique du Sud.

le clerodendrum thomsonae

163

(Clerodendrum thomsonae). Ses larges feuilles ressemblent à du papier par leur texture; ses fleurs curieuses sont de couleur crème. Cette plante, grimpante, aime particulièrement les serres.
    Cette plante préfère le terreau humide et les

endroits ensoleillés. Laissez-la se reposer pendant l'hiver en réduisant vos arrosages. Pincez les tiges faibles pour les encourager à produire plus de feuilles.

l'hydrangée

(Hydrangea macrophylla). Cette plante pousse bien à l'intérieur pendant quelques semaines, mais elle réussit mieux à l'extérieur. Ses fleurs, en forme de panicules arrondies, durent environ six semaines. Maintenez le sol constamment humide. Après la floraison, rabattez les tiges et plantez-la au jardin dans un endroit ensoleillé et bien drainé. Un apport de chaux produit des fleurs roses, un apport d'alun, des fleurs bleues. Incorporez l'un ou l'autre au sol, durant l'été, et une fois au printemps.   Habitat naturel: un peu partout.

les impatientes

(Impatiens). Elles produisent une floraison spectacu-laire aux coloris brillants (rose, saumon, orange ou blanc) et se cultivent aisément à partir de graines ou de boutures. Elles sont idéales pour les paniers sus-pendus. Plantez-les dans un bon terreau et fertilisez à toutes les deux ou trois semaines en période de croissance active. Donnez-leur beaucoup de soleil, l'hiver, mais un soleil filtré, l'été. (Elles préfèrent un endroit ombragé lorsqu'on les plante dans le jardin). En fleurs durant toute l'année.   Habitat naturel: la Nouvelle Guinée et l'Afrique.

la lantana

(Lantana). Cette plante ligneuse produit des fleurs (semblables aux nerveines) rouges, orange, jaunes et roses. Les feuilles, rugueuses, dégagent une odeur piquante. Cette plante fleurit abondamment, l'été, et parcimonieusement, l'hiver. On la cultive en pot, en standard ou en paniers suspendus. Les *lantana* sont particulièrement accueillantes pour les araignées rouges et les mouches blanches. Badigeonnez souvent le feuillage comme moyen de les éviter. Plantez-les dans un bon terreau, maintenu humide, et fertilisez-les à toutes les deux ou trois semaines en période de croissance active. Placez-les au soleil, sauf pendant leur période de repos en hiver. On peut facilement en prélever des boutures. *Habitat naturel:* les tropiques.

le muguet

(Convallaria majalis). On peut forcer le muguet de la même façon que les bulbes rustiques. Ils sont d'abord gelés, puis plantés dans un contenant de mousse de tourbe humide pour la vente. Des pousses apparaissent puis fleurissent environ trois semaines plus tard. Après la floraison, maintenez vos arrosages; plantez-les au jardin au printemps. Ne tentez pas de forcer le muguet qui pousse à l'état naturel dans votre jardin. Le muguet ci-haut décrit provient de plants spécialement traités pour le forçage. Un pot de cinq pouces (12.75 centimètres) doit normalement contenir une douzaine de plants.

le pellionia

(Pellionia). Cette plante retombante possède un fascinant feuillage pourpre, veiné de noir, supporté par des tiges également pourpres. Les feuilles ont tendance à enrober le pot et à pousser, lentement, vers le bas. Plantez-les dans un terreau fibreux, constamment maintenu humide. Cette plante curieuse est plutôt difficile à trouver. *Habitat naturel:* le Vietnam du Sud.

le setcreasea purpurea

(Setcreasea purpurea). Ses longues feuilles pointées semblent pourpres sous le soleil mais en réalité elles sont violettes. De petites fleurs roses apparaissent entre les feuilles durant l'été et au début de l'automne. Ces plantes poussent bien dans le jardin durant l'été. *Habitat naturel:* le Mexique.

le rhipsalis

(Rhipsalis). Ces fascinants cactus épiphytiques croissent bien en jardinières suspendues. Les feuilles, minces et rondes, forment de grandes queues retombantes. La plante adulte donne des fleurs, suivies de petites baies. Le rhipsalis exige un sol poreux (mi-humus, mi-tourbe) ou le terreau fibreux des orchidées. Assurez-vous que le pot se draine bien et laissez la terre sécher entre les arrosages. Ces plantes exigent aussi beaucoup de soleil. *Habitat naturel:* les régions tropicales.

le saphir

(Browallia). Cette très jolie plante, aux belles fleurs étoilées, fleurit presque constamment. Elle se cultive en panier suspendu ou en pot. Elle préfère pousser dans un endroit ensoleillé et frais. Pincez les pousses nouvelles lorsque les tiges s'affaiblissent. Fertilisez-la à toutes les trois ou quatre semaines. *Habitat naturel:* la Colombie et l'Amérique tropicale.

le lierre suédois

(Plectranthus australis). Cette plante traçante, au feuillage à texture de cuir, est idéale pour les paniers suspendus. Ce faux lierre, parent de la menthe, se couvre de fleurs blanches en été. Il préfère le sol allégé avec du vermiculite ou de la serlite et maintenu constamment humide. Placez-le dans un endroit bien éclairé mais non directement exposé au soleil. *Habitat naturel:* l'Australie.

166

le collier de cœurs

(Ceropegia woodii). Cette plante traçante de la Rhodésie tire son nom de ses feuilles en forme de cœur qui pendent à partir de longues tiges retombantes. Elle se cultive très bien en paniers suspendus et son feuillage, gris chatoyant, est très décoratif. Durant l'été, la plante produit de délicates fleurs roses. Elle préfère le sol sablonneux. Laissez sécher (pendant environ un mois) le sol, graduellement, lors de la période de repos en hiver. Les petits tubercules qui se développent à la base de ses feuilles peuvent être utilisés pour amorcer de nouveaux plants.

le taffeta

(Hoffmannias). Les feuilles ressemblent curieusement à du taffeta vert. Elles sont oblongues et profondément veinées, nous faisant songer à une courte-pointe. Plantez-les dans un bon terreau, bien drainé et maintenu humide. Placez-les dans un endroit bien éclairé, loin des courants d'air. Vaporisez souvent les feuilles. *Habitat naturel:* le Mexique tropical.

techniques plus avancées

éclairage
artificiel

L'électricité ouvre de nouveaux horizons à la culture d'intérieur. Un simple bouton permet maintenant de cultiver des plantes dans les sous-sols ou autres endroits très sombres de la maison. Les lampes fluorescentes, munies de réflecteurs, et les ampoules incandescentes, de forte intensité, permettent de cultiver des plantes d'intérieur dans des endroits jadis impensables.

Malheureusement, l'éclairage artificiel ne convient pas à toutes les plantes de maison. Il ne réussit qu'aux plantes n'exigeant pas trop de soleil, entre autres: les achimènes, les violettes africaines, les edelweiss brésiliens, les *columnea*, les violettes flamboyantes, les *gloxinia*, les *hohleria*, les eschynanthes, les nautilocalyx, les *sinningia*, les streptocarpus, les cloches du temple, les fougères et quelques cactus et plantes grasses. Les bégonias et les orchidées s'adaptent aussi à l'éclairage artificiel. Certaines personnes réussissent aussi avec certaines herbes et légumes.

Un buffet de salle à dîner se transforme en jardin miniature lorsqu'on y installe des lumières fluorescentes et des étagères.

Les étagères en bois, éclairées au néon, se prêtent bien à la culture des orchidées.

173

Une lampe de table donne suffisamment de lumière pour maintenir la croissance des plantes à feuillage, tels les philodendrons, lierres anglais et pothos. Si cette lampe demeure allumée quatre ou cinq heures par jour, les plantes croîtront exceptionnellement bien. Une ampoule de 150 watt suffit à maintenir la croissance des plantes de grande taille. Assurez-vous toutefois que l'ampoule est à quatre pieds (1.20 mètre) du sommet du feuillage.

Avec la plupart des montages floraux, la lumière fluorescente donne de meilleurs résultats. Elle produit une lumière plus intense et l'espace requis est moindre. De plus, l'éclairage fluorescent dégage moins de chaleur, est plus égal et de coût moindre.

L'éclairage fluorescent s'utilise pour les plantes adultes, les semis et les boutures. Le jardinier peut s'en servir pour amorcer ses semis de légumes tôt au printemps, avant de les planter en pleine terre plus tard. Installez les lampes à trois ou quatre pouces (7.65 ou 10.20 centimètres) de terre et élevez-les à mesure que les jeunes plants grandissent. On peut aussi se servir de cet éclairage pour faire enraciner des boutures de plantes et d'arbustes.

Les tubes fluorescents sont disponibles en blanc, blanc-frais ou chaud et « lumière du jour ». (Ces termes définissent le degré de coloration des tubes). La lumière rouge fait pousser les racines, tandis que la lumière bleue fait croître les tiges et les feuilles. La combinaison d'un tube blanc-

Les espaces libres entre des étagères contenant des livres peuvent servir à la culture de belles plantes.

Des étagères, munies de tubes fluorescents et garnies de plantes, ont changé radicalement l'aspect de ce mur.

Des jardinières suspendues et un cabinet éclairé artificiellement ont transformé ce solarium en une oasis de verdure. Les portes du cabinet éclairé sont fermées pour y maintenir l'humidité.

174

frais (rayons rouges) et d'un tube « lumière du jour » (rayons bleus) fournit un spectre de lumière bien balancé. Pour les semis, utilisez seulement un tube blanc-chaud, riche en rayons rouges.

Plus coûteuses, les nouvelles « lampes de croissance » (vendues sous plusieurs appellations) offrent l'avantage d'un spectre de lumière complet. Leur lumière est plus intense que la lumière naturelle.

Il se vend beaucoup de supports préfabriqués comprenant pots, tubes fluorescents et réflecteurs. Certains sont munis de roulettes. Des interrupteurs de courant, automatiques, permettant de contrôler la durée de l'éclairage, peuvent s'y ajouter. Les plantes demandent ordinairement de seize à dix-huit heures de lumière par jour.

Certaines personnes préfèrent toutefois fabriquer elles-mêmes leurs supports. Utilisez toujours des néons, munis de réflecteurs, afin d'obtenir un éclairage plus égal.

Les tubes fluorescents possèdent différentes intensités. Il existe des tubes de deux pieds (0.61 mètre) (30 watt), de trois pieds (0.91 mètre) (30 watt) et de quatre pieds (1.20 mètre) (40 watt). Une bonne formule est d'employer 15 à 20 watts de lumière par pied (0.30 mètre) de croissance (à partir du sommet des plantes). Pour les plantes naines placez les tubes à environ un pied (0.30 mètre) au-dessus des bordures des pots.

N'oubliez pas de les fertiliser régulièrement et de vérifier l'humidité du sol, chaque jour.

Vaporisez le feuillage chaque jour pour y garder l'humidité et placez les pots dans un

Un simple tube fluorescent et un réflecteur procurent assez de lumière pour faire pousser une collection d'herbes.

En été, ce foyer attire de nouveau l'attention en se transformant en terrarium.

176

bac rempli de gravier humide. Ceci augmente l'humidité et favorise le drainage et
la bonne aération des racines.

Enfin, les plantes, placées sous éclairage
artificiel, préfèrent souvent les pots de plastique et le terreau sans terre. Une recette
simple de terreau sans terre consiste à
mélanger ensemble trois parties égales de
mousse de tourbe, de vermiculite et de perlite. (Recette simplifiée du mélange de Cornell, p. 26).

jardins intérieurs

Pour satisfaire leur besoin de recréer à l'intérieur un environnement naturel, de plus en plus de gens dotent leur foyer de jardins intérieurs. L'idéal serait un jardin encastré dans le plancher. Etant donné le coût excessif de tels travaux, il est préférable de les entreprendre lors de la construction de la maison.

Le jardin intérieur est aménagé à même le sol. De solides blocs, bien scellés, sont disposés en-dessous et sur les côtés pour délimiter l'espace utilisé. Consultez un architecte ou un contracteur à ce sujet. Bien que les plantes puissent se drainer dans le sol, il est préférable d'ajouter une bonne couche de gravier dans le fond afin de prévenir un enracinement trop profond et un drainage insuffisant. L'espace contenant les plantes doit être rempli d'un bon terreau stérilisé et adapté aux types de plantes utilisées: un terreau riche et argileux pour les plantes à feuillage ou un terreau poreux et sablonneux pour les cactus

Un jardin encastré doit
être planifié et aménagé
avant la construction de
la maison. Si l'endroit est
sombre, l'éclairage artificiel sert de palliatif.

La forme ultime du jar-
din intérieur est la
continuation du jardin
extérieur. Celui-ci est
enjolivé par un mur et
des marches de pierre.

et les plantes grasses. Une fois les plantes installées, on peut délimiter le jardin avec de belles pierres placées au niveau du sol.

Une variation encore plus élégante du jardin intérieur consiste en un prolongement du jardin extérieur dans la maison. Une simple vitre le sépare de la terrasse extérieure. Ce type de jardin s'avère toutefois plus pratique dans les régions où l'hiver est plus doux. Un agencement de roches permet de recréer, à l'intérieur, un environnement naturel.

D'autre part, une solution simple consiste à disposer les plantes en pots dans de grands bacs plats, remplis de gravier, de sable ou de copeaux de bois. Un bac en bois, recouvert de plastique, donne aussi de bons résultats. Il suffit alors de disposer les pots dans ces bacs en créant l'illusion d'une forêt tropicale ou d'une portion de désert.

Évidemment, un jardin de cette envergure doit être planifié à l'avance. Les personnes ayant quelques connaissances sur la culture des plantes et la décoration intérieure peuvent concevoir elles-mêmes leurs jardins intérieurs. Toutefois, l'avis d'un professionnel diminue grandement les risques d'échecs et de déceptions. Ceux-ci offrent l'avantage de leur expérience: ils connaissent plusieurs techniques et certains pièges à éviter, ce que l'amateur ignore.

Les professionnels situés dans les grandes villes, portent habituellement le nom de « planificateurs de jardins intérieurs » ou d'« architectes-paysagistes. »

Le meilleur endroit pour installer un jardin intérieur est une pièce bien éclairée par des fenêtres, des murs de vitre ou par un dôme. L'éclairage artificiel n'est pas recommandé à cause de son coût énorme et de ses reflets trop intenses lorsqu'utilisé à une grande échelle.

Étant donné que les plants sont cultivés dans des pots, leur entretien demeure facile. On peut facilement ajouter, au jardin, des jarres et des poteries décoratives ou encore de petites fontaines électriques pouvant servir d'humidificateur et de fond sonore.

Une fois l'emplacement choisi, il faut déterminer l'étendue du jardin, en fonction de l'espace disponible dans la pièce et des dimensions de celle-ci. Les bacs peuvent prendre plusieurs formes, mais les formes carrées et rectangulaires demeurent les moins coûteuses. Assurez-vous de leur parfaite étanchéité. Leur hauteur devrait être d'au moins 2 pouces (5.1 centimètres) mais ne devrait pas excéder 4 à 6 pouces (10.20 à 12.75 centimètres). Certains recommandent de placer un cadre de lattes ou une couche de plastique fort sous le bac afin d'empêcher l'humidité de pénétrer le plancher. Étudiez ce détail avant la construction.

Emplissez les bacs de cailloux décoratifs pour obtenir un bon drainage, mais ne les remplissez pas d'eau. Il est important aussi de nettoyer à fond le jardin une fois l'an, en prenant soin de bien laver le gravier de drainage afin de prévenir les odeurs d'eau stagnante et la croissance de fongus.

Le moment de choisir, puis de disposer ses plantes est toujours agréable. La lumière

Un large bac de métal, placé directement sur le sol et rempli de gravier, donne beaucoup d'allure à cette collection de plantes.

184

disponible détermine quelles variétés choisir. Attention de ne pas commettre l'erreur de choisir une multitude de petites plantes. Incluez des arbres d'intérieur et des plantes à larges feuilles afin de créer un bon arrière-plan. Si vous désirez reconstituer un coin de désert, choisissez, entre autres, des cactus de grande taille et ajoutez quelques roches naturelles ou artificelles. Placez les petites plantes à l'avant pour faciliter leur réarrangement éventuel lors d'une fête ou d'une occasion spéciale.

Un jardin de fines herbes se monte aussi aisément. Commencez-le de préférence au printemps alors que les pépinières, les fleuristes et certains supermarchés offrent un bon choix d'herbes. Il est préférable de les acheter ainsi. Les amorcer avec des graines s'avère souvent assez long (à l'exception du basilic).

Les herbes se cultivant bien à l'intérieur sont: le basilic, le persil, la ciboulette, la marjolaine, la menthe, la sauge, la sarriette et le thym. Les autres herbes s'avèrent trop volumineuses pour la culture en pot. Le romarin peut se cultiver dans un solarium frais (ses feuilles tombent si la température est trop élevée).

Les semis de fines herbes se vendent généralement en pots de tourbe. Rempotez-les individuellement dans des pots de grès de trois ou quatre pouces (7.65 ou 10.20 centimètres) en utilisant un terreau poreux et bien drainé. Ajoutez un peu de sable à votre terreau commercial.

Placez les herbes dans un endroit ensoleillé (surtout durant l'hiver) et arrosez-les fréquemment. Une taille fréquente (pour usage culinaire) stimule la croissance des jeunes pousses tendres.

Si vous ne trouvez pas de semis chez votre pépiniériste, songez qu'il est possible d'entrer des plantes du dehors, de bonne heure à l'automne ou de demander des boutures à des amis. Vous pouvez toujours, enfin, avoir recours aux semences. Les paquets de semence sont disponibles au printemps et à l'été chez tous les pépiniéristes et les marchands grainetiers.

Un espace limité, mais
bien éclairé, est idéal
pour ce genre de jardi-
nière comprenant des
fougères et des plantes
retombantes.

plantes
de bureau

La plupart des places d'affaires possèdent quelques plantes d'intérieur, depuis l'unique pothos en pot sur le bureau de la secrétaire, jusqu'à l'énorme arbre tropical surplombant les filières du directeur. De plus, les grands murs dénudés des édifices commerciaux, gagnent souvent à être égayés d'un peu de verdure.

Bien que le choix soit plus restreint, les plantes d'intérieur enjolivent les bureaux d'affaires aussi bien que les maisons privées. Les plantes utilisées dans les édifices à bureaux, doivent souvent par contre supporter des conditions de croissance difficiles. Ainsi, il n'est pas rare que les systèmes de ventilation et de chauffage soient débranchés aux heures de fermeture entraînant une baisse de température et une stagnation de l'air ambiant.

D'autre part, un éclairage souvent mauvais, une humidité très faible et de fréquentes expositions aux courants d'air rendent la culture des plantes difficile dans ces

Un contenant de bois, planté de dieffenbachia et de dracaena, devient un centre d'intérêt.

Une combinaison de pins de Norfolk, de figuiers et de dracaena amoindrit la rigidité de ce corridor, tandis qu'une rangée de palmiers ajoute un peu de verdure au bureau.

Une planche de bois, percée de trous, peut servir avantageusement de support. Ici: crassula, dracaena, fougère exotique et aralie.

endroits. Mais, en dépit de tous ces désavantages, certaines plantes réussissent quand même à faire bon ménage avec les ordinateurs et les machines à écrire!

Une des meilleures façons de décorer avec des plantes consiste à les grouper de manière à former un arrangement massif. De grands bacs remplis de plantes peuvent enjoliver maints endroits. Les groupes de plantes produisent un plus bel effet qu'une plante isolée. De plus les plantes groupées bénéficient de plus d'humidité provenant de la transpiration du feuillage.

Parmi les meilleures plantes de bureau, on remarque les *crassula,* les prêcheurs, les *dracaena,* les plantes « Ti », et les *aglaonema.* Les endroits très éclairés conviennent bien aux *dieffenbachia* et aux brodélies. Un endroit très frais et bien éclairé est tout indiqué pour les ifs méridionaux.

Les arbres d'intérieur conviennent particulièrement aux bureaux pourvus de plafonds élevés. Les figuiers (Ficus benjamina et Ficus retusa nitida), les philodendrons arborescents, les *dracaena* (D. massangeana et D. marginata) et les *monstera* sont les variétés les plus recommandées. Enfin les lierres, les cissus et plusieurs philodendrons et pothos y réussissent bien.

jardins sous verre et terrariums

Le jardin sous verre reproduit un paysage naturel, en miniature, dans un contenant de verre, tel un bocal à poissons, une cruche, un grand verre à cognac etc . . . A l'intérieur, les plantes croissent dans leur propre *écosystème*. Un terrarium est aussi un jardin sous verre, mais il contient plutôt des plantes sylvestres à l'état sauvage.

Étant donné la petite taille des contenants, il convient d'utiliser uniquement de petites plantes dans ce cas. De plus, les plantes de petite taille risquent moins d'être endommagées lors de la manutention. Utilisez de préférence des boutures, ou de jeunes semis. Les *fittonia*, les lierres, les *helxine,* les figuiers à petites feuilles, les bégonias, les jeunes palmiers, les *dracaena*, les *peperomia* et autres plantes semblables sont toutes indiquées pour des jardins sous verre.

Choisissez toujours vos plantes de façon à obtenir une combinaison intéressante de formes et de feuillages.

Ce terrarium, de forme triangulaire, contient un dracaena, un pothos et une fougère à feuilles de houx.

Groupez des variétés aux feuilles colorées, bigarrées, élancées, arrondies, depuis les *couvre-sol* jusqu'aux espèces les plus hautes. Il est parfois difficile de trouver les jeunes plants requis. Toutefois, les grandes serres commerciales offrent la plupart du temps une grande sélection de variétés de même que les pépinières faisant affaire par courrier. Il est aussi possible de prélever des boutures sur vos plantes de maison ou de semer les plantes désirées.

Si vous avez accès à une terre boisée, notez qu'il est possible d'y prélever de jeunes plantes, à l'automne, avant la chute des feuilles. Si vous ne réussissez pas à y trouver toutes les variétés désirées, vous pouvez en commander d'une pépinière spécialisée en plantes sauvages. Voici quelques-unes des plantes sylvestres les plus adaptables aux terrariums: les mousses et les *couvre-sol*, *pipsissewa*, l'herbe à serpent, les jeunes pins, les sapins et autres conifères, les fougères et les lycopodes. Des petites pierres ou des portions d'écorce recouvertes de lichen donneront un cachet spécial à votre terrarium.

L'aménagement d'un jardin sous verre demande parfois quelques tours de passe-passe, surtout si vous employez une cruche à petit goulot. Des contenants à large ouverture simplifient beaucoup la tâche. Placez une couche de gravier fin ou de sable de maçon dans le fond ou encore mieux, du gravier pour cages d'oiseau ou pour aquariums. L'épaisseur de la couche de gravier variera selon la forme et les dimensions du contenant; elle tient lieu de

Une cruche à petit goulot représente un défi. Ce petit jardin autosuffisant vivra pendant plusieurs années.

Une variation de la dame-jeanne, munie d'une ouverture permettant un entretien facile.

Un terrarium de plastique sans support de métal peut contenir un plus grand nombre de plantes.

Une ouverture latérale facilite la tâche lorsque le goulot d'une cruche est très étroit.

199

médium de drainage.

Mettez ensuite une couche de bon terreau riche en humus (une partie d'humus pour une partie de terre franche, stérilisée). Ajoutez un peu de farine d'os moulus (bone meal). Pour les bouteilles à goulot étroit, servez-vous d'un entonnoir ou d'un long tube pour y introduire le terreau.

Disposez ensuite les plantes une par une. De longes pincettes en bois feront bien l'affaire. Placez la plante entre les pincettes et enfoncez ses racines dans le sol. Si vous pouvez utiliser vos mains, la tâche deviendra plus facile.

Disposez les plantes en rocaille, en mettant plus de terre à l'arrière du contenant. Plantez les grandes plantes à l'arrière, les plus petites vers l'avant et les côtés, les *couvre-sol* à la base.

Une fois les plantes en place, rajouter un peu de terreau afin de bien couvrir les racines. Vaporisez ensuite le feuillage puis la terre jusqu'à saturation et enfin, les parois du contenant afin de faire disparaître les particules de terre. Mettez alors le bouchon et le tour est joué. Placez le contenant dans un endroit fortement éclairé pour quelques jours, jusqu'à ce que les plants s'ajustent à leur nouvel environnement.

Une fois le jardin acclimaté, il subviendra lui-même à ses besoins. Ce minuscule *écosystème* produira sa propre humidité et son propre oxygène. Si l'excès d'eau se condense sur les parois, enlevez le bouchon pendant quelques heures. L'excès d'humidité représente le problème le plus fréquent mais une fois l'*écosystème* établi, il

Si l'excès d'eau se condense sur les parois intérieures, retirez le bouchon pendant quelques heures.

200

ne devrait plus y avoir de problèmes. Plusieurs de ces jardins vivent pendant de longues années. Occasionnellement, il peut devenir nécessaire d'en retirer une feuille morte ou trop grosse (la croissance en milieu restreint est généralement très lente). Placez toujours ces jardins dans un endroit bien éclairé et donnez-leur du soleil durant l'hiver.

Les jardins sous verre et les terrariums réussissent bien sous un éclairage fluorescent. Les *gloxinia* miniatures et les rares plantes miniatures préférant une forte humidité se révèlent excellentes.

plantes grimpantes

Existe-t-il quelque chose de plus beau qu'une *eschynanthe,* suspendue à un mur? Des jardinières de fantaisie contenant de belles plantes grimpantes permettent de cultiver des plantes de façon spectaculaire. Plusieurs amateurs qui ne disposent plus d'un espace suffisant, solutionnent leur problème en cultivant leurs plantes en paniers suspendus.

Dans les pépinières, les magasins de poteries et chez les fleuristes, on peut se procurer un vaste choix de paniers et de pots suspendus. Les nouveaux modèles possèdent presque tous des soucoupes empêchant l'excès d'eau de tomber sur le plancher. Quant aux paniers en mousse de sphaigne, il est préférable de les utiliser à l'extérieur étant donné que l'eau filtre au travers. Les modèles les plus intéressants sont faits à la main, d'argile lustrée ou non lustrée. Il existe aussi des pots de bronze ou de cuivre; les paniers tissés à la main deviennent de plus en plus populaires.

Le fuchsia est l'une des plantes suspendues les plus spectaculaires.

Ayez soin toutefois de placer du plastique à l'intérieur ou d'y installer une soucoupe de drainage. Enfin, des bols de plastique aux rebords troués (pour permettre de les accrocher) conviennent parfaitement aux décors modernes.

Les paniers peuvent être suspendus au mur ou au plafond par des chaînes, des câbles de nylon, des lacets de cuir, du fil résistant etc ... Il faut toutefois s'assurer qu'ils sont solidement fixés. Les lourds pots d'argile deviennent encore plus lourds lorsqu'arrosés et ils devraient en conséquence être maintenus par des boulons ou des cabillots. De plus, les paniers accrochés au mur doivent en être assez éloignés pour permettre à la plante de se développer normalement.

D'autre part, les plantes grimpantes permettent un vaste choix de formes et de feuillages. Comme pour les autres plantes, la quantité de lumière disponible demeure le facteur déterminant. Les variétés produisant des fleurs vivent bien dans les endroits bien éclairés, telles les fenêtres orientées à l'est, à l'ouest ou au sud, pourvu qu'elles soient protégées des rayons brûlants du soleil. On peut placer les paniers à l'extérieur durant l'été, suspendus sous le toit du patio. Les endroits moins bien éclairés conviennent mieux aux plantes à feuillage. Voici une liste de quelques plantes grimpantes.

variétés à fleurs

aeschynanthus	fuchsia
bégonia	géranium rampant

cactus de Noël   hoya
campanulle isophylle   jasmin
collier de cœurs   lantana
episcia   oxalis

variétés à feuillage ornemental

asparagus   lierre suédois
chlorophytum   philodendron
cissus   pothos
fougères   rhipsalis
gynura   saxifrage
lamium   tolmiea
lierres   tradescantia
                        zébrina

*Ce tradescantia croît
dans une belle jardinière
de bronze.*

Plantez les plantes grimpantes de la même manière que les plantes ordinaires en pot. Placez un tesson ou un morceau d'argile sur l'orifice de drainage et ajoutez une couche de gravier pour en assurer le drainage. Emplissez partiellement le pot avec un bon terreau fibreux, enrichi de compost ou de mousse de tourbe (afin de maintenir un fort degré d'humidité dans le sol). Plantez alors la ou les plantes (les contenants de grandes dimensions doivent parfois être remplis au moyen de plusieurs plantes). Disposez les plantes de façon à ce qu'elles retombent gracieusement hors du pot, puis recouvrez leurs racines de terre et arrosez-les copieusement en plaçant le pot dans l'évier.

La culture des plantes grimpantes n'est pas plus difficile que celle de la plupart des autres plantes de maison. Elles sont cependant sujettes à se dessécher plus vite, surtout en hiver, alors que l'air devient chaud

Une plante araignée adulte embellit grandement une collection de plantes. Les crochets doivent être fixés solidement afin de supporter le poids considérable de cette plante.

Les fougères panache, fixées sur des plaques de bois, croissent bien si on leur fournit suffisamment d'humidité.

et sec. Vérifiez-les souvent. Il vous faudra un peu de pratique avant de pouvoir déterminer si elles sont suffisamment arrosées. Pour y parvenir, placez-les dans l'évier au début et notez la quantité d'eau employée. Après quelques fois, vous serez à même de déterminer la quantité d'eau requise. Si les contenants sont munis de soucoupes, arrosez jusqu'à ce que l'eau apparaisse dans celle-ci.

Un point à retenir: les plantes grimpantes paraissent mieux lorsque suspendues à la hauteur des yeux ou un peu plus haut. Inspectez-les souvent; enlevez les feuilles mortes; taillez-les si nécessaire et tournez-les de temps en temps afin de garder une croissance uniforme. Une douche d'eau tiède de temps à autre leur est souvent bénéfique.

Fertilisez-les régulièrement pendant la période de croissance active, mais moins en hiver. Tout engrais standard pour plantes de maison fera l'affaire. La plupart des plantes grimpantes peuvent demeurer dans le même contenant de douze à dix-huit mois avant d'être rempotées. Toutefois, si elles montrent des signes de faiblesse (feuilles jaunes, diminution de la floraison, arrêt de croissance) il se pourrait qu'elles aient besoin d'être rempotées.

Une autre suggestion de plantes suspendues: les fougères à panache. Leurs frondes ressemblent curieusement aux panaches de cerfs ou de caribous, tandis que d'autres frondes supportent les premières et protègent les racines. Ces plantes épiphytiques poussent sur les arbres tropicaux d'Afrique,

Cette variété de bromélie fait une magnifique plante suspendue.

de Malaisie, de Java et de Madagascar. Cette plante exige peu de soins. Vaporisez le feuillage de temps en temps et arrosez le pied (racines) lorsque celui-ci semble sec au toucher. Placez-les dans un endroit bien éclairé (mais pas au soleil) et frais.

On peut les acheter, fixées sur les plaques décoratives, dans plusieurs serres spécialisées ou boutiques florales de luxe. Si vous possédez une planche non écorcée ou un beau bois de grève, vous pouvez les y fixer vous-même. Cette fougère s'accrochera elle-même lorsqu'elle aura développé suffisamment de racines filiformes. Afin de lui assurer une bonne emprise, creusez un grand trou dans le bois et remplissez-le de terreau à orchidée ou de mousse de sphaigne détrempée et bien tassée. Assurez-vous que le terreau est vraiment bien tassé et attachez-le avec du fil si nécessaire. Placez ensuite la fougère sur le terreau. Les spécimens de grande taille doivent être fixés avec des aiguilles de bois (utilisées par les fleuristes). Déposez la fougère et son support à plat sur une table et vaporisez son feuillage quotidiennement, jusqu'à ce que vous soyez certain que les racines sont bien ancrées. Ceci peut prendre plusieurs jours, voire plusieurs semaines, si la plante est de grande taille. Une fois bien enracinée, la fougère à panache est prête à être suspendue. Bien entretenue, elle vivra plusieurs années.

taille ornementale
(topiarisme)

La taille ornementale est l'art de faire prendre aux plantes des formes inhabituelles. Les Romains étaient célèbres pour leurs buis « sculptés ». Cet art a reparu en Italie et en France à la Renaissance: plusieurs exemples survivent encore aujourd'hui et inspirent les créateurs modernes. L'utilisation de cette technique avec les plantes de maison représente certes un défi, mais l'enjeu en vaut la chandelle.

Il existe deux techniques fondamentales. La première consiste à construire une forme en mousse de sphaigne, puis de planter des plantes à croissance lente sur cette forme. La deuxième est d'utiliser des broches de métal qui serviront de support aux plantes.

La première méthode permet de reproduire toutes sortes de formes: chiens, lapins, oiseaux etc . . . ou encore des formes géométriques (cônes, cubes, sphères etc . . .) En fait, toutes les formes imaginables deviennent possibles.

On les fabrique en faisant d'abord un

Un caniche ébouriffé fait de lierres exige un haut degré d'humidité. Une vaporisation quotidienne du feuillage en facilite l'entretien.

Le hibou et le suçon sont
faciles pour le débutant.

Le chandelier et le cœur
sont très jolis recouverts
de lierre, de hoya, de
clématites ou d'autres
plants grimpants.

cadre de broche résistante et en emplissant les vides avec de la mousse de sphaigne détrempée. Fixez-la au moyen d'un fil métallique recouvert de coton pour prévenir la rouille.

La forme est maintenant prête à recevoir sa couche de verdure. Utilisez des boutures de lierre à petites feuilles, tel le trèfle d'Irlande, particulièrement indiqué pour les topiaires. Piquez les racines dans la sphaigne et fixez-les avec des broches, recouvertes de coton, auxquelles vous donnerez la forme d'épingles à cheveux (de vraies épingles rouilleraient). Le topiaire demande un peu de patience; il prend de douze à dix-huit mois à se recouvrir complètement. Vaporisez le feuillage tous les jours. Placez-le dans un endroit frais et bien éclairé, mais protégé du soleil. Fertilisez-le toutes les deux à trois semaines en vaporisant un engrais soluble sur son feuillage. La plante absorbera les ingrédients par ses feuilles.

A mesure que le lierre croît, épinglez ses tiges sur la forme et coupez les pousses débiles. Il est possible de placer le topiaire à l'extérieur durant l'été. Après une période de repos à l'hiver, des vaporisations fréquentes de son feuillage lui donneront une vigueur nouvelle. Ceux qui ont bien maîtrisé l'emploi du lierre peuvent essayer le figuier grimpant.

La seconde méthode consiste à enrouler un lierre, en pot, autour d'un support de métal. Cette méthode permet un plus vaste choix de plantes: cissus, hoya, clématites et figuiers grimpants. Une forme simple est préférable au début: par exemple un treillis,

Un topiaire prend plusieurs années à s'établir et à atteindre sa beauté optimale.

un cœur, une sphère, un éventail etc . . .
Fixez la forme à un poids pour ne pas
qu'elle verse, et placez-la dans un pot de
quatre ou cinq pouces (10 à 12.5 centimètres). Emplissez le pot de terreau et plantez-
y la plante en pressant bien la terre autour
des racines. Fixez les branches au support
avec du fil métallique, enrobé de coton.
N'hésitez pas à la tailler lorsque nécessaire,
au moyen de ciseaux bien aiguisés. Comme
dans le cas précédent vaporisez le feuillage
chaque jour et fertilisez-le régulièrement
afin d'obtenir un bon rythme de croissance.

les standards

Les orangers, en bac, des jardins français du dix-septième siècle semblent être à l'origine des « standards » modernes. On plantait ces orangers dans de gros contenants de bois. Ceux-ci étaient placés à l'extérieur pendant l'été et ramenés en serre l'hiver. On les taillait en forme de « suçon » selon la grosseur du contenant. Vinrent ensuite les rosiers en arbre, de même que les géraniums, les *lantana* etc . . .

Ces plantes, appelées « standards », sont plutôt coûteuses vu les soins particuliers qu'elles exigent. Toutefois, avec un peu de pratique vous pouvez élever ces standards à la maison. Les plantes favorites pour ce genre de culture sont les fuchsias, les *lantana,* les géraniums; lorsque la technique est bien acquise: les herbes arborescentes tel le romarin et la lavande. Les arbustes, particulièrement le forsythie, s'élèvent facilement.

La plante la plus simple à élever, le lantana, se prépare comme suit: au printemps,

Les lantana élevés en standard doivent être fortement taillés lorsqu'ils ont séjourné à l'extérieur tout l'été.

achetez une plante érigée et vigoureuse. Empotez-la dans un bon terreau. Utilisez un pot de 4 ou 5 pouces (10 ou 12.5 centimètres). Choisissez une seule tige, forte et droite, et coupez les autres avec de bons ciseaux. Plantez un bon tuteur, de 3 ou 4 pieds de haut (de 0.9 ou 1.2 mètre), dans le pot, à côté du tronc.

Le « fouet » (la tige de la plante) doit être amené à pousser rapidement. Fertilisez-le régulièrement avec un bon engrais soluble et placez-le dans un endroit ensoleillé et chaud. Au fur et à mesure de sa croissance, enlevez les bourgeons qui tendent à se former sur le fouet afin de n'obtenir qu'une longue tige droite et forte. Attachez-le au tuteur pour le maintenir bien droit. Après deux ou trois mois, le fouet aura atteint une bonne hauteur, environ trois ou quatre pieds (0.9 ou 1.2 mètre).

Arrêtez alors la croissance du fouet en lui coupant la tête, c'est-à-dire en enlevant son bourgeon terminal. Ceci forcera la plante à produire des branches latérales autour de sa tête. A mesure qu'elles se développent, taillez-les de façon à ce qu'il ne reste plus que deux paires de feuilles. Continuez jusqu'à ce que la tête soit bien fournie. En tout, la fabrication d'un standard peut demander environ deux ans.

Le standard achevé peut être placé à l'extérieur durant l'été. A la rentrée, rabattez les branches à quatre ou cinq pouces (10 à 12.5 centimètres) du tronc. Placez-le dans un endroit frais et arrosez-le peu afin de le maintenir dans un état semi-dormant jusqu'au printemps.

Puis recommencez les arrosages et les fertilisations afin de le redémarrer. Essayez par la suite avec d'autres variétés.

Tous les standards doivent être rempotés après quelques années. Un rempotage devient nécessaire lorsque le feuillage se met à jaunir et que la croissance perd de la vigueur.

le forçage des bulbes

L'hiver devient souvent une saison morte pour l'amateur de plantes étant donné leur état semi-dormant durant cette période. Le forçage de bulbes permet de combler ce vide. Les bulbes rustiques—ceux plantés au jardin à l'automne pour une floraison printanière—peuvent très bien se forcer à l'intérieur et fleurir en janvier, en février ou en mars. La technique du forçage, autrefois réservée aux fleuristes, est maintenant à la portée de tous les amateurs.

Les variétés les plus populaires demeurent les jonquilles, les tulipes et les jacinthes, mais les petits bulbes, les crocus et les scilles offrent autant d'intérêt.

Les bulbes rustiques ne sont, hélas, pas tous adaptables au forçage. Les détaillants de bulbes vous renseigneront sur les meilleures variétés à utiliser.

Les jacinthes ont meilleure apparence lorsqu'on les plante isolément dans des pots de quatre pouces (10 centimètres). Par contre, les tulipes et les jonquilles gagnent à être regroupées. Utilisez, de préférence, des pots peu profonds car les bulbes y croissent mieux. Placez de six à huit bulbes de tulipe ou trois ou quatre gros bulbes de jonquille dans un pot de six pouces (15 centimètres). Les petits bulbes paraissent mieux dans un pot de quatre ou cinq pouces (de 10 à 12.5 centimètres).

Pour le sol, un terreau commercial fera bien l'affaire. La terre sert surtout ici de médium d'enracinement car les feuilles et les fleurs sont déjà formées à l'intérieur des bulbes. Emplissez les pots à moitié avec le terreau. Disposez les bulbes (le bout pointé vers le haut) et couvrez-les entièrement avec le reste du terreau. Arrosez copieusement. Il est parfois plus facile de les arroser par le bas en les plaçant dans un récipient rempli d'eau et en les laissant se saturer.

Placez ensuite les pots dans un endroit frais et obscur pour que se développe un bon système de racines. Dans quatre ou six semaines (début de décembre), vous pourrez les sortir à l'extérieur.

Placez-les dans une couche froide et couvrez-les de paille, de foin ou de feuilles ou encore déposez-les dans des cartons remplis de paille et bien couverts. Le but visé est de garder les bulbes au froid, mais de les empêcher de geler.

A partir de la fin de janvier vous pouvez rentrer les pots, les habituant graduellement à la chaleur. Lorsque les feuilles apparaissent, augmentez graduellement la température et l'éclairage, puis placez-les en plein soleil. A l'éclosion des fleurs, transportez les pots dans un endroit plus frais

Sept bulbes de crocus empliront bien un pot de 5 pouces (12.5 centimètres).

226

*Les crocus en pot égaie-
ront la grisaille de
l'hiver.*

afin de prolonger la floraison. Pendant le forçage, maintenez toujours le sol humide.

Il est préférable de jeter les bulbes après la floraison; si vous les gardez, continuez vos arrosages. Lorsque leurs feuilles jaunissent, remisez-les jusqu'à l'automne, alors que vous pourrez les planter au jardin. Dans quelques années, ils fleuriront de nouveau.

Les personnes vivant dans les pays chauds peuvent obtenir un certain succès en plaçant leurs bulbes dans le réfrigérateur pendant environ un mois. Empotez ensuite et maintenez le sol humide. Cette méthode devrait donner de bons résultats.

jardinage pour les enfants

Les enfants sont toujours fascinés par la croissance des plantes. Profitez-en pour les initier, très jeunes, à leur culture. En outre, cela développera chez eux le sens de l'observation et la notion de responsabilité.

Même un enfant de trois ou quatre ans peut s'intéresser aux plantes. Le meilleur âge se situe toutefois vers cinq ou six ans. A l'adolescence, il y a peu de chances que vous obteniez quelque succès.

Les plantes favorites des enfants sont celles produisant des fleurs. Une violette africaine ou un bégonia les ravira sûrement. En hiver, le narcisse « paperwhite » à croissance rapide, provoquera leur admiration à mesure que leur longues feuilles se développent et que des fleurs apparaissent.

Faites-leur ensuite découvrir les semences à croissance rapide. Les enfants perdent vite patience lorsque leur plante prend trop de temps à produire quelque chose: alors évitez les variétés à croissance lente.

Les enfants peuvent aussi apprécier la culture des plantes.

Certains légumes et fruits (feuilles d'ananas ou de carottes, patates sucrées, graines de fèves et de lentilles, noyaux d'agrumes etc . . .) leur procureront beaucoup de plaisir.

Ayez soin d'accorder à « leur plante » une place spéciale soit dans leur chambre, soit dans un endroit facile d'accès. Assurez-vous que des enfants plus jeunes ne puissent l'endommager. Des conseils et un peu d'aide seront nécessaires au début pour établir la routine. Laissez-leur graduellement l'entière responsabilité de leurs plantes.

Le choix du contenant n'est pas très important. Des contenants en carton percés de quelques trous, ou des pots d'argile feront l'affaire. Les pots de plastique ne s'égouttent pas assez rapidement; les enfants ont tendance à trop arroser les plantes. N'importe quel terreau commercial pourra être utilisé.

Voici quelques plantes recommandées pour les enfants.

ananas Coupez l'ananas à environ un pouce (2.5 centimètres) de la touffe de feuilles. Détachez les feuilles du bas et laissez-les sécher pendant un ou deux jours. Plantez la touffe de feuilles dans un contenant peu profond, rempli de sable humide. Vaporisez le feuillage fréquemment. Des racines se développeront. Si les feuilles du bas jaunissent, détachez-les.

avocats Choisissez un avocat bien mûr; retirez-en le noyau et lavez-le. On peut le placer sur un verre rempli d'eau, de sorte que la base du noyau effleure l'eau; il sera maintenu par trois cure-dents piqués dans la chair. Il est aussi possible de le planter en pleine terre, (la partie plate en bas), en laissant dépasser le quart du noyau de la surface du sol. Les deux méthodes exigent plusieurs semaines avant qu'on obtienne des signes de croissance. Si vous utilisez la méthode du verre d'eau, plantez le noyau aussitôt que des racines y apparaissent. L'avocat prendra rapidement la forme d'un poteau de téléphone si vous négligez de pincer son bourgeon terminal lorsque la tige prend de la hauteur. Ceci force la plante à produire des branches latérales. L'avocat cultivé à la maison ne produira jamais de fruits. (Cet arbre atteint la taille d'un pommier, à maturité). Faites démarrer de préférence deux ou trois noyaux à la fois afin de limiter les risques d'échec car seulement les noyaux parfaitement mûrs feront des racines. Il est malheureusement impossible de se fier à leur apparence pour savoir s'ils sont bien mûrs.

café Les grains (non rôtis) de café—si vous pouvez en obtenir—peuvent produire de belles plantes au feuillage luisant. Elles demandent un endroit frais et ensoleillé et elles doivent être protégées des courants d'air.

carotte Coupez-la à un demi-pouce (2 centimètres) des feuilles et plantez les feuilles dans du sable humide. Placez le contenant dans un endroit bien éclairé et maintenez le sable humide. Un joli feuillage apparaîtra bientôt. Toutefois ceci ne dure qu'un certain temps; par ailleurs, il ne faudrait pas que les enfants s'attendent à récolter des carottes! Les betteraves et les navets peuvent se cultiver de la même façon.

citrons et autres agrumes Les graines de tous les agrumes sont faciles à planter et à faire pousser. Choisissez parmi les plus grosses; lavez-les et plantez-en plusieurs dans un pot. Si elles germent toutes, coupez les plus faibles avec des ciseaux et n'en gardez qu'une par pot. Placez-les au soleil. Les agrumes possèdent tous de belles feuilles luisantes, mais ne produiront pas de fruits. Les variétés naines, achetées chez le fleuriste, fleurissent et portent des fruits.

coleus Cette plante, au beau feuillage coloré, se cultive facilement à partir de graines. Un seul paquet remplira toute la maison. Achetez vos graines à l'été alors qu'elles sont disponibles. Placez les coleus au soleil et leur feuillage se colorera davantage. Taillez-les souvent pour les garder compacts.

dattes Employez des dattes non pasteurisées (disponibles dans les magasins d'alimentation naturelle) et plantez-les dans un sol sablonneux. Plantez-en plusieurs pour être assuré qu'au moins l'une d'elles germera. Placez ensuie le dattier dans un endroit ensoleillé.

lentilles Placez-les dans un contenant peu

234

profond rempli de sable humide. Elles produiront des feuilles qui dureront plusieurs semaines.

narcisses Ces bulbes tendres sont disponibles dans les supermarchés et les pépinières durant l'hiver. Ils ne coûtent pas cher: alors achetez-en plusieurs. Plantez-les dans des contenants peu profonds remplis de gravier ou d'éclats de marbre. Placez les bulbes à moitié enfouis dans les roches. Emplissez le contenant d'eau jusqu'à la base du bulbe et placez-le à la noirceur, pendant dix jours ou plus, pour permettre la formation de racines. Ramenez alors le contenant à la lumière, puis placez-le au soleil. Jetez les bulbes après la floraison.

patate sucrée Choisissez une patate sucrée qui n'a pas été traitée contre la formation d'yeux. Placez-la dans un vase peu profond, à fleur d'eau, et donnez-lui beaucoup de soleil. Les yeux se développeront et donneront naissance aux feuilles. La patate sucrée se comporte comme la vigne. On peut la garder dans l'eau ou l'empoter.

plantes annuelles De petites plantes comme les *marigold* et les *alyssum* fleurissent abondamment sur le rebord d'une fenêtre. Achetez les graines à l'été afin de pouvoir les utiliser l'hiver. Un terreau commercial leur convient bien.

radis et autres légumes La récolte ne sera pas abondante, mais leur culture s'avère toujours intéressante. Choisissez par exemple des graines de laitue et de radis. Plantez-les dans de grands pots et placez-les sur une fenêtre ensoleillée. Les radis croissent très vite: trois semaines entre l'ensemencement et la récolte.

raisin Les noyaux des grains de raisin peuvent facilement être semés. Ils produisent une belle vigne luxuriante. Un pot de quatre à cinq pouces (10 à 13 centimètres) peut accommoder deux ou trois graines. Placez le pot près d'un treillis afin que la vigne puisse s'y agripper.

sensitives *(mimosa pudica)* Cette plante fascine toujours les enfants. Les feuilles s'enroulent au contact de la chaleur ou si vous les touchez. Les graines sont disponibles dans les pépinières. Suivez les instructions sur le paquet.

Les plantes suivantes, pour diverses raisons, sont à éviter.

cactus Ils poussent trop lentement et découragent les enfants.

plantes d'extérieur Les arbres et arbustes rustiques ne peuvent vivre à l'intérieur. Ils exigent tout le cycle des saisons pour vivre.

vignes lierres, hoya, cissus etc ... Elles croissent lentement et offrent peu d'intérêt pour les enfants.

propagation

La multiplication de vos plantes peut s'effectuer de plusieurs façons. Voici les plus simples: le bouturage des tiges ou des feuilles, l'enracinement des courants, les semences et le marcottage aérien.

boutures de tiges Les bégonias, les géraniums et la plupart des autres plantes de maison érigées produisant de longues tiges peuvent se reproduire de cette façon. Il suffit de couper une section de la tige (appelée bouture) et de lui faire produire des racines. Choisissez des pousses vigoureuses et droites, de plusieurs pouces (centimètres) de longueur et portant de quatre à six feuilles. Coupez-les avec des ciseaux bien aiguisés.

Le médium d'enracinement peut s'acheter ou se fabriquer à la maison. La vermiculite et la perlite retiennent bien l'humidité; ils sont disponibles dans les centres de jardinage, les pépinières et les quincailleries, en paquets de différentes quantités. Les deux peuvent servir avantageusement de médium. Un mélange maison toujours populaire est le suivant: une partie de perlite et une partie de mousse de tourbe.

Utilisez des pots de plastique ou d'argile. Emplissez-les avec le médium; arrosez

238

copieusement et laissez égouter. Faites un trou dans le médium avec un crayon et insérez les boutures dedans. (Ne placez que quelques boutures par pot). Arrosez de nouveau pour éliminer les poches d'air et fixer le médium autour des boutures. Recouvrez le pot d'un sac de plastique et fixez-le avec un élastique. Placez les boutures dans un endroit bien éclairé, mais pas en plein soleil.

Avec un grand nombre de boutures, utilisez un grand contenant en plastique muni d'un couvercle. Percez quelques trous, dans le fond, afin de faciliter le drainage. Emplissez le contenant, au tiers, avec le médium; ceci permettra de poser le couvercle sans écraser les boutures. Arrosez, laissez égoutter puis insérez les boutures dans le médium. Arrosez de nouveau et fermez le couvercle. Placez-le à la lumière, mais pas au soleil.

Inspectez les boutures après dix jours pour voir si des racines se forment. Tirez doucement sur les tiges. Si elles résistent, les racines se sont formées; sinon replantez-les et attendez encore quelques jours.

Les tiges ligneuses des *dracaena* et des *dieffenbachia* s'enracineront si vous les plantez dans du sable ou de la mousse de sphaigne détrempée. Prélevez des boutures de plusieurs pouces (centimètres) de long et plantez-les sur le côté de façon à ce qu'un peu d'écorce dépasse le médium. Après plusieurs semaines les yeux (déjà apparents sous l'écorce) se gonfleront et produiront des racines et de nouvelles tiges. Empotez-les immédiatement.

239

Prélevez des boutures sur les jeunes tiges du géranium au moyen d'un couteau bien aiguisé. Retirez les feuilles au bas et placez les boutures dans un pot rempli de médium. Protégez-les des rayons directs du soleil jusqu'à ce que des racines se soient formées.

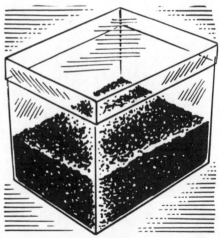

Un pot d'argile, recouvert d'un sac de plastique, ou un contenant de plastique, muni d'un couvercle, sont idéals pour les boutures. Percez quelques trous dans le contenant avec un pic à glace chauffé.

boutures de feuilles On peut multiplier facilement les violettes africaines par leurs feuilles. Chaque feuille doit posséder une tige (pétiole) de un demi-pouce (1.5 centimètre). Insérez le pétiole dans le médium d'enracinement préalablement mouillé (voir boutures de tiges). Après la formation des racines—environ un mois—de petites plantules jailliront de la base des feuilles. Soyez patients car les plantules peuvent prendre jusqu'à deux mois à se former.

Plusieurs amateurs obtiennent du succès en faisant s'enraciner les feuilles dans l'eau. Couvrez un verre rempli d'eau avec du papier ciré et fixez-le avec un élastique. Percez un petit trou dans le papier et insérez-y le pétiole pour qu'il trempe dans l'eau. Placez le verre dans un endroit bien éclairé. Il est aussi possible d'utiliser des sections de deux pouces (5 centimètres) prélevées sur le travers d'une feuille de sansevieria et plantées verticalement dans un médium d'enracinement. Placez-les dans un endroit frais et humide.

Pour enraciner une feuille de bégonia rex, placez-la à plat sur un mélange de sable et de mousse de tourbe humide. Piquez les veines de la feuille dans le médium avec de petites épingles à cheveux afin de maintenir la feuille en contact avec le sol. Faites quelques coupures sur les veines principales (d'où partiront les nouvelles pousses). Il est aussi possible de couper la feuille en sections triangulaires; chaque petit triangle doit contenir une portion de la veine principale et une petite portion du pétiole.

241

enracinement des courants Plusieurs plantes se multiplient naturellement, en produisant des courants à leur base. Voici quelques plantes connues qui possèdent cette particularité: les violettes flamboyantes, les plantes araignées et les *saxifraga sarmentosa*. De petites plantules se forment à l'extrémité des courants. Elles sont faciles à enraciner. Plantez-les simplement dans la terre autour de la plante-mère. Lorsque les racines se sont formées, fermées, sevrez-les en coupant le courant et replantez-les dans des pots individuels.

Il est encore plus facile de les planter directement dans des pots individuels placés autour du pot principal et de les sevrer lorsque les racines se sont formées.

semences Cette méthode exige un peu plus d'habileté mais elle représente un bon moyen d'obtenir des variétés nouvelles. Des paquets de graines peuvent s'obtenir des pépinières et catalogues spécialisés. Les semences de plantes rares s'acquièrent généralement par le biais de sociétés horticoles.

Les graines exigent une période d'incubation pour pouvoir germer. Il est donc préférable de les faire démarrer dans des contenants transparents munis de couvercles. La mousse de sphaigne moulue représente le meilleur médium, mais il est aussi possible d'acheter un médium commercial. Les deux sont stériles, ce qui élimine les risques de « fonte », une maladie fongique s'attaquant fréquemment aux semis. Si vous ne trouvez pas de mousse de sphaigne

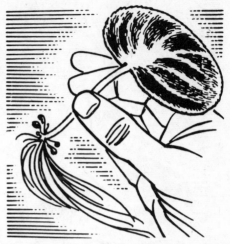

Pour faire s'enraciner une feuille de violette africaine, insérez son pétiole dans un verre d'eau, en la passant à travers un papier ciré fixé sur le verre. Les racines se formeront à la base de la feuille. Plantez le nouveau plant et coupez la feuille-mère.

La plante araignée se multiplie aisément si on place les plantules dans des pots individuels autour de la plante-mère. Fixez les plantules dans le sol avec des cure-dents et sevrez-les lorsqu'elles sont bien enracinées.

Le marcottage permet de faire redémarrer un dief- fenbachia (ou plantes similaires) devenu trop grand. Pratiquez une incision dans la tige et maintenez-la ouverte avec un cure-dent. Enroulez de la mousse de sphaigne détrempée autour de l'incision.

Couvrez la mousse de
sphaigne avec du plasti-
que, fixé en haut et en
bas. Des racines se for-
meront après plusieurs
semaines. Coupez alors
la tige et empotez-la. Ne
jetez pas la plante-mère;
elle produira de nouvel-
les pousses à la base.

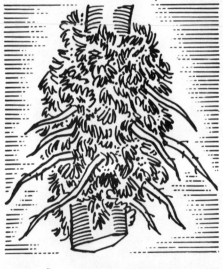

moulue au magasin, achetez-la non moulue et frottez-la sur une moustiquaire.

Humectez bien la mousse avec de l'eau chaude. Faites disparaître l'excès d'eau, puis semez les graines. La plupart de ces graines étant très fines, saupoudrez-les simplement sur la surface de la mousse humide. Elles pénétreront graduellement dans le médium.

Autant que possible, n'enlevez pas le couvercle avant que la germination soit avancée. Placez le contenant dans un endroit sombre, loin des enfants et des animaux. Les deux premières feuilles qui apparaissent ne sont pas de vraies feuilles, mais bien des cotylédons servant à nourrir la jeune plantule. Lorsqu'une première paire de *vraies* feuilles est formée, transplantez les petits plants dans un bon terreau et cultivez-les de la même manière qu'une plante ordinaire.

marcottage aérien Cette forme de reproduction consiste à encourager la formation de racines sur une tige, puis à couper cette tige pour la cultiver séparément. Cette méthode s'avère utile lorsqu'il faut rabattre un dieffenbachia, un figuier ou un dracena devenu trop grand. Il est possible de marcotter plusieurs tiges d'une même plante au même moment.

Pratiquez une profonde incision sur la tige au tiers de sa hauteur environ. Insérez une section de cure-dent dans la fente pour la maintenir ouverte. Enroulez de la mousse de sphaigne, détrempée, autour de l'incision et recouvrez-la d'un plastique, fixé en haut et en bas avec de la broche.

Après plusieurs semaines, voire même plusieurs mois, dépendant du type de plante et de l'environnement, des racines se formeront. Lorsqu'elles deviennent visibles à travers le plastique, coupez la tige juste en dessous du plastique et empotez-la. Couvrez la plante d'un sac de plastique pour quelques jours. Ne jetez pas la plante-mère: elle produira de nouvelles pousses à sa base si vous continuez à l'arroser.

appendice

glossaire

annuelle: plante dont le cycle de vie ne dure qu'une année.

arborescent: plante qui prend la forme d'un arbre.

baie: fruit rond et mou.

bisannuelle: plante dont le cycle de vie s'étend sur deux années; croissance de la tige et des feuilles pendant la première saison; floraison et fructification la seconde.

bractées: petites feuilles dégénérées autour du pédoncule de la fleur. Les bractées sont parfois plus développées et colorées que la fleur. Exemple: poinsettia.

bulbes: excroissance souterraine contenant les feuilles et les fleurs.

caduque: dont les feuilles tombent à l'automne.

calice: enveloppe extérieure de la fleur, composée de sépales.

cormus: renflement en forme de bulbe, à la base de la tige.

cotylédons: feuilles contenues dans une graine, servant à nourrir la plantule.

courants: tige rampante prenant racine facilement.

cultivar: variété cultivée.

double: fleur dont les pétales sont plus nombreuses qu'à l'ordinaire.

dormante: lorsque la plante est au repos.

épiphyte: plante aérienne.

espèce: groupe de plantes de la même famille.

feuilles lobées: composées de deux ou plusieurs petites feuilles.

feuilles persistantes: qui ne tombent pas à l'hiver.

forçage: processus consistant à faire fleurir les bulbes hors de leur cycle naturel de floraison.

fronde: feuille de fougère.

fruit: partie de la plante contenant les graines.

greffe: l'union de la tige d'une plante avec une racine étrangère.

herbacée: plante dont les tiges meurent à l'automne.

humus: couche de débris végétaux décomposés.

hybride: croisement de deux plantes de la même famille.

ligneuse: plante dont les tiges sont en bois.

lobe: partie d'une feuille lobée.

marcottage: faire développer des racines en entaillant une tige.

nœud: fonction de la feuille et de la tige.

œil: bourgeon sur un tubercule.

panicules: fleurs groupées sur un même pédoncule.

pédoncule: tige de la fleur.

pétiole: tige de la feuille.

pincer: enlever le bourgeon terminal d'une tige pour la forcer à produire des branches latérales.

pistil: partie femelle de la fleur.

pollen: spores mâles de la fleur.

propagation: obtention de nouvelles plantes, à partir de graines ou d'autres moyens.

pubescent: velouté, couvert de capillosités.

rhizome: tige souterraine contenant les bourgeons et les feuilles.

rustique: plante qui s'adapte parfaitement aux conditions climatiques d'une région.

stérilisé: exempt de bactéries.

252

transpiration: processus d'évaporation d'eau par le feuillage.

tubercule: tige souterraine renflée, contenant les bourgeons de fleurs et les feuilles.

variété: subdivision de l'espèce; utilisée aussi pour désigner un cultivar.

vivace: plante dont la vie dure plus de deux ans.

index

Les chiffres en caractère gras réfèrent le lecteur aux descriptions détaillées des plantes. Les chiffres en italique renvoient aux illustrations.

IMPRIMÉ AU QUÉBEC